LE POULPE

PALET DÉGUEULASSE

COLLECTION DIRIGÉE PAR JEAN-BERNARD POUY

ISBN : 2-84219-266-4

ISSN : 1265-986X

LE POULPE

michel dolbec

PALET DÉGUEULASSE

LE POULPE

ÉDITIONS BALEINE

A Muriel, qui m'a offert le monde d'ici-bas
et les jardins du paradis

À mon père, mon meilleur coach

1

Mercredi 28 mai

Montréal. Depuis l'aube, une pluie fine dilue mollement le gris du ciel, donne à la ville délavée une couleur d'infini frelaté. Une couleur à chier. Paul sort péniblement d'un sommeil fade, se regarde dans la glace. Dans sa bouche colle un arrière-goût de cendrier froid que ne parvient pas à gommer un café fort.

Ce matin-là, Paul travaille sans conviction. Il traîne en peinant d'étage en étage sa grosse carcasse flasque, s'arrête tous les dix pas, soupire, soupire encore. Pourtant Paul est un brave homme. Bon travailleur et tout. Pas un de ces petits employés négligents et mesquins qui puent le travail triste. Bien sûr, il y a la routine, les longues heures, le petit chef, le salaire minimum. Bien sûr, les étages à monter, les seaux à soulever, la cireuse à pousser. Et le corps qui ne suit plus, qui n'a jamais vraiment suivi, surtout sous les éviers, les jours de fuite.

Les fuites.

Mais bon.

Paul ne se plaint jamais.

Paul ne rouspète jamais.

A cause de son aspect un peu gluant, à cause de la lenteur de ses gestes et de la trace visqueuse que laisse en glissant derrière lui dans le grand hall défraîchi de granit gris sa vadrouille humide, les locataires appellent Paul la Limace. Dans son dos. Mais il le sait. Oh ! ce n'est pas bien méchant, pas vraiment. Car ils l'aiment bien, ce gros être serviable et silencieux, avec son énorme tête d'hippopotame lyrique, oui ils l'aiment bien. Au fond. Juré. N'empêche. Paul préférerait qu'on l'appelle Paul.

« Pis aller don' chier ! »

Paul range brusquement ses balais, ses brosses, son chariot à poubelles. Qui reste coincé dans la porte. Paul s'énerve, il tire, il pousse, ça passe ou ça casse. Ça passe. Dehors, Paul presse le pas. Un peu d'air frais, vite un peu d'air frais. Paul est grotesque. Ses bras, tels ceux d'un baigneur avançant en août dans une mer froide, s'agitent au-dessus de sa taille. Ses chairs tressautent, comme des sacs sur les flancs d'une mule. Paul transpire. Derrière les grilles d'une cour d'école, des enfants se moquent de lui, qu'il n'entend pas.

Dans l'est de la ville, des ambulanciers se penchent sur un clochard tuméfié. Paul entre dans une taverne. Très crasseuse la taverne. Il est tôt mais déjà s'y trouvent de nombreux buveurs, déjà s'entassent sur les petites tables rondes les bouteilles de bière vides et les bocks de verre terni. Un billard claque au fond de la salle, sous une télé allumée mais muette ; au plafond, un ventilateur fatigué brasse l'air enfumé, lourd comme une vie ratée. Les murs ressemblent à des dents de vieux, jaunis par le tabac et les vains bavardages. L'endroit baigne dans une lumière trop blanche, les portes des frigos à bière, derrière le comptoir, sont en stainless. On dirait une morgue. Où des vivants ivres morts sur des chaises droites dorment d'un sommeil froid. Sans rêver.

Paul s'assied, se répand plutôt, dans un coin de la longue pièce, commande une grosse bière à un serveur, un serveur banal, maigre. Croque un œuf dur, avale une langue de porc dans le vinaigre. Rien à redire. A la table voisine, un jeune homme vert regarde le vide.

Autrefois les tavernes étaient plus nombreuses que les églises. Il y en avait une près de chez Paul. La porte des chiottes donnait sur la ruelle étroite qui longeait le cinéma. En été, elle restait ouverte. Il régnait toujours là, dans l'air chaud de juillet, une odeur âcre de pisse mousseuse, de crachat et de mégots détrempés, de sperme aussi peut-être, sans doute, Paul ne sait pas. Côté rue, à travers les vitres dépolies, s'agitaient des ombres terrifiantes. Un borgne y exhibait l'orbite évidée de son œil gauche. Il y avait aussi un manchot, un unijambiste, l'assistant du cordonnier et son front hypertrophié, et les travailleurs abrutis des usines des alentours venus boire là leur insignifiant salaire. Ces hommes titubants, bedonnants, forcément saouls avec leurs gros ventres, il fallait les éviter, fuir à toutes jambes car ils enlevaient les petits enfants pour leur planter dans la tête des clous de six pouces. La nuit, des hommes en chaussons de laine pourchassaient Paul sous la neige dans les rues d'une ville éteinte. Un arbre géant broyait les enfants dans ses branches noueuses, comme toujours le sont les mains des monstres, il les faisait éclater, comme éclatent en été les crapauds sous les pneus des voitures.

Personne dans le noir ne répondait aux hurlements de Paul.

« Marche pas sur les craques du trottoir, le gros, ça fait pleuvoir ! »

Paul boit trois *drafts*. Au retour, il s'arrête chez Sonia. Douce Sonia. Les pans de sa chemise ouverte sur le couvre-lit azur donnent à Paul des allures d'ange difforme. Sonia met de la musique. Un peu sucrée la musique. Elle chantonne, gazouille. Ils parlent. Elle lui dit « t'es gentil, je t'aime bien, Paul ».

Paul s'en va. Le soleil découpe des ombres longues sur les trottoirs lisses. Paul est presque heureux. Ce n'est pas ce soir qu'il ira se pendre tout nu dans son local à balais. Mais dans la rue une voiture noire attend. Un homme en descend, s'avance vers Paul. L'homme tire. Trois fois. Sans bruit. En visant le cœur d'abord, puis la tête. Qui éclate, comme un œuf sous les coups de bec rageurs d'un poussin fou. La voiture noire avale l'homme et disparaît. Le sang fait des bulles en s'écoulant du gros corps de Paul, baleine hagarde échouée comme une conne sur le rivage bétonné de la mort. Les curieux ne savent pas comment s'y prendre pour la remettre à l'eau.

C'est fini.

2

Vendredi 30 mai

Paris. Gabriel Lecouvreur est de mauvais poil. Comme ça, sans raison. Il est de mauvais poil et il a pas envie qu'on l'emmerde, ça arrive. Les mains dans les poches, la tête dans les épaules, Gabriel Lecouvreur pousse du pied la porte du Pied de Porc.

Une animation inhabituelle règne dans le bistrot, qui incommode le Poulpe. Lecouvreur n'a pas bu son café, il a faim. Mais il n'y a pas de tartines, pas de croissants dans le panier posé près du sucre, *Le Parisien* n'est pas à sa place sur le zinc et le patron lui a à peine rendu son bonjour, à lui, un habitué de la première heure, un pilier, fidèle parmi les fidèles. Le Poulpe fréquente le Pied de Porc depuis toujours. A l'époque, c'est te dire si ça fait longtemps, Léon était encore un chiot sain d'esprit. Pas le berger allemand barge la nuit et amorphe le jour qui bave maintenant dans la sciure. Où elle est la balle, où elle est la baballe ? Et puis merde.

Derrière le bar, Gérard, le coude sur le comptoir, pince son double menton de maigre bedonnant entre son pouce et son index, il prend la pose à la con des présentateurs du journal télé lorsqu'ils boivent les propos des puissants en se branlottant sous la table, haletants, la langue entre les crocs. Un certain Bernard-Louis, un vague habitué disparu depuis un moment, tient le rôle de l'interviouvé.

– Donc pendant tout ce temps, résume Gérard pour les téléspectateurs qui viendraient de se joindre à nous, tu étais au Québec. Ah le Canada... On peut dire que t'as du bol. Je t'envie.

Une vive émotion étreint Bernard-Louis. Cet exil périlleux dans cette contrée froide et hostile n'aura donc pas été vain : enfin un patron de bistrot s'intéresse à lui ! Du coup, il se sent plus pisser, le trentenaire dynamique, il s'emporte, il se gonfle, il s'écoute parler, il fait son petit numéro de Parisien paternaliste converti aux vertus de la québécitude, il se la joue campagne-de-pub-pour-l'office-du-tourisme-du-Canada.

– Ah ! putain Gérard, tu verrais les paysages. A perte de vue. J'ai fait de l'hydravion, du traîneau à chiens, j'ai bouffé froid dans un igloo, ça m'a coûté un max de blé. Ah ! putain, les vastes étendues enneigées. Ah ! putain, les couleurs de l'automne. Des lacs, des lacs partout. Le fleuve Saint-Laurent : majestueux. La Seine, à côté, c'est un ruisseau, tu vois.

– Et les gens ? hasarde Gérard en caressant sa moustache.

– Les gens, putain, géniaaaaal ! Ils sont sympa, cools ! Les rapports sont vachement simples, tu vois. Le contact est vachement facile, tu vois. Les employés tutoient leur patron, putain, c'est génial. J'ai fini par priiindre l'acciiiint, tabernacle !

Le Poulpe se raidit. Comme si on avait fait crisser un truc contre un machin. Dans tout imitateur sommeille un inimitable con. Sûr qu'un jour il finira par en buter un.

– Tu sais, aller au Québec, un jour, ç'a a toujours été mon rêve, confesse Gérard, les yeux dans le vide.

– Faut pas hésiter, mon vieux. C'est génial ! Et

puis les filles, les filles ! Belles, ouvertes, pas prétentieuses comme les Parisiennes, tu vois.

Il dit encore une fois putain, génial ou tu vois et je lui fais avaler son cendrier, pense le Poulpe.

– Le problème, justement, c'est leur accent. Elles sont peut-être jolies mais quand elles causent, alors là, je sais pas trop si ça me plaît. Personnellement, je pense que ça ferait débander un orang-outang priapique.

– Mais non, je te dis, elles sont géniales, tout le monde est génial ! Tiens prends Montréal. Montréal, tu vois, c'est une grande ville, tu vois. Eh ben, tu vois, même là, ils ont gardé quelque chose qu'on a perdu nous, les Parisiens : ils prennent le temps de vivre, ils sont chaleureux, ouverts. Pour moi, tu vois, ç'a a été le coup de foudre.

– C'est sûrement une question d'atomes crochus.

– Oui, ça doit être un truc comme ça, répond platement l'autre, soudainement en panne de superlatifs géniaux, tu vois.

* * *

Attablé comme d'habitude près de la vitrine, le Poulpe s'était rapidement désintéressé de ce passionnant débat touristico-sociologique pour se jeter dans la lecture du *Montréal Matin*, un tabloïd à grand tirage que l'aventurier de l'extrême, arrivé le matin même à Charles-de-Gaulle en classe éco, avait rapporté avec lui. La une était consacrée, sous le titre *« Meurtre mystérieux dans l'est de Montréal »*, à un meurtre mystérieux dans l'est de Montréal.

« La police de la communauté urbaine de Montréal se perd en conjonctures (conjectures corrigea

le Poulpe pour lui-même) sur les motifs du tueur. La victime, homme à tout faire dans un immeuble du centre-ville, n'avait ni amis ni ennemis et menait une vie solitaire et sans histoires. Vengeance, règlement de comptes, erreur sur la personne ? Paul Gélinas souffrait d'obésité (voir photo). Cela a-t-il un rapport avec sa mort ? Le meurtrier a peut-être bien voulu le punir pour péché de gourmandise, comme dans le film Seven. *Le directeur des communications de la police de la communauté urbaine de Montréal, Jean-Claude Michaud, confirme en tout cas qu'aucune piste n'est écartée.* »

Jamais le Poulpe n'avait mis les pieds à Montréal mais il pressentait que ce genre de flic (voir autre photo) formé à l'américaine pour bourrer le mou des journalistes qui n'en demandaient pas tant, avec sa moustache de flic, son regard de flic, son vocabulaire de flic, ne lui aurait pas plu. Le Poulpe n'apprécia pas davantage le ton de l'article : trop con, trop court, trop superficiel, trop flic. Heure et lieu du crime, adresse de la victime, position du corps gisant dans une mare de sang : tout y était, sauf l'essentiel. Dans le gros ventre du gros Paul, il y avait quoi, au juste ?

– Et toi Gabriel, qu'est-ce que tu penses de tout ça ? demanda Gérard.

– C'est curieux. A l'évidence, c'est du travail de professionnel. Pourquoi flinguer un gros tas qui n'a jamais rien fait à personne ?

– Ouah l'autre, il voit des complots partout ! Je te cause pas de ça. Je te parle du Canada. Le Cana-da… Toi qu'as beaucoup voyagé, tu les connais, nos cousins ?

Cousins ? Qui a dit cousins ? Il devrait pourtant savoir, le Gérard, que le Poulpe, il n'a pas trop le sens de la famille quand elle se fait race, patrie, nation, équipe de football, bande, clan, église, club de bridge, association de retraités, kop, corporation, amicale de boulistes ou association de pêcheurs à la ligne. Jamais Gabriel n'irait aboyer avec la foule la France aux Français ou le Québec aux Québécois. La Bourgogne aux escargots, à la limite, et encore, à la condition que ces sales bestioles se contentent d'y baiser à longueur de journée dans de longues étreintes gluantes sans emmerder personne. La parenté d'idées, en revanche, il veut bien. Né plus tôt, il aurait sans doute reconnu des frères et des sœurs dans les Brigades internationales. Le P.O.U.M. et le P.O.U.L.P.E., même combat. Mais Roch Voisine, son cousin ? Arrête !

– Rien à foutre, répondit sèchement Gabriel. Tu sais que tu fais chier ce matin avec tes conneries. T'es lourd Gérard. Vraiment tu fais chier. Enfin merde, lâche-moi un peu !

– Non mais comment il me cause, ç'ui-là ? Tu sais que toi aussi tu commences à m'emmerder, grand con ! Toujours là dans ton coin à ruminer tes trucs, à lire tes histoires sordides. Depuis quelques jours, c'est pire ! Il faut mettre des gants blancs stérilisés pour s'adresser à môssieu ! Sa poulpienne majesté aux longs bras a ses humeurs, voyez-vous ça. Ben ici, mon p'tit bonhomme, c'est un bistrot, on cause, on bavarde, on parle, de tout et de rien. Il y a même des gens qui mangent à l'occasion. Des pieds de porc, absolument. Et qui s'en portent plutôt bien. Mais je fais pas café philosophique, moi, môssieur! Si c'est pas assez intéressant pour môssieu, môssieu, il a qu'à aller se faire enculer. Des troquets, c'est pas ça qui manque.

Un vent glacial balaya le Pied de Porc, des réminiscences de papiers gras et de feuilles mortes se ramassant à la pelle tourbillonnèrent vers le comptoir, entre les tabourets. Léon, le Rantanplan des bistrots, dressa l'oreille. Vlad, une bavette sanguinolante entre ses doigts de chirurgien, étira le cou hors de sa cuisine. Le cuistot roumain était troublé : Gabriel et Gérard se bouffaient le nez à longueur de journée mais ils ne s'insultaient jamais. Maria surgit heureusement d'on ne sait où, tartines à la main et sourire aux lèvres. Elle posa, légère, une bise furtive sur la joue de Gabriel, lui retira sa casquette, passa la main dans ses boucles brunes, le décoiffa un peu, avec tendresse. Gérard posa un café devant le Poulpe, sans la ramener, baissa les yeux. Le chien fit un effort pour avoir l'air normal, remua la queue, s'assit sur ses pattes de derrière, comme un bon employé de banque. Lecouvreur haussa les épaules, murmura «allez, ça va». Bref, on se calma. Le néo-Québécois de service dit «bon, ben, c'est pas tout ça mais quand faut y aller». Et on parla d'autre chose.

3

Le squeegee s'approche de la voiture. Il tient sa raclette dans une main, son seau dans l'autre, un peu d'eau éclabousse son pantalon militaire kaki et ses Doc Martens. Fuck... Un an déjà qu'il lave les pare-brise à l'angle de la rue Bleury et du boulevard René-Lévesque, avec deux de ses chums. A Montréal, chaque carrefour important possède désormais sa petite tribu de squeegees. Il y a bien quelques skins dans le tas, mais pas lui.

– Chu apolitique. Les politiciens, c'est toutes des pourris.

Le punk l'a dit à une équipe de télévision venue étudier *in situ* la vie des squeegees, «phénomène social ou reflet d'une nouvelle marginalité?». Devine.

– C'est mieux de faire ça que de voler les sacs des vieilles... C'est sûr que j'aimerais mieux avoir une vraie job. Mais la société veut pas de nous autres. Pis moé, chu pas sûr de vouloir d'la société, t'sais veux dzire...

Mais bon, les squeegees font chier quand même un peu, ils font peur aussi. Quand elles les voient arriver, les femmes seules remontent à la hâte la vitre de leur voiture.

– C't'un beau char çâ, ma 'tite madame!

Il y a la peur donc, le malaise, l'indifférence aussi, le mépris de ceux qui regardent ailleurs, la haine, les insultes. En un an, il a appris à repérer les bons clients, à ne plus se précipiter sur la première voiture venue.

– Non, non, pas besoin! disent les conducteurs.

Mais lui a déjà commencé à répandre l'eau savonneuse sur le pare-brise.

– M'â-te-faire ça gratis, ça m'fait plaisir.

Il gratte avec le doigt une crotte de moineau, un insecte écrasé; ils finissent toujours par donner un petit trente sous. Rarement plus.

Le squeegee s'approche de la voiture, une grosse Chrysler Le Baron, mais le regard mauvais du conducteur le fait battre en retraite. Le gars est dangereux, c'est sûr, « le genre à partir la pédale au fond quand t'es penché sur le hood [1] ». L'homme au volant, c'est vrai, meurt d'envie de foncer dans le tas, d'en tuer deux ou trois, de les achever d'une balle dans la nuque. Exterminer cette vermine. « Le monde m'applaudirait, c'est certain. » Le feu passe au vert, la voiture démarre, l'homme a crié quelque chose que le squeegee n'a pas saisi. Il regarde disparaître le véhicule, attend le prochain feu rouge.

La voiture de l'homme n'est plus noire, elle est rouge clair, déjà. L'autre lui a dit : « Tu pourrais en voler une au lieu de la faire repeinturer à chaque fois. » Mais non, il tient à ses petites habitudes. Pour exécuter ses petits contrats, il prend toujours sa Chrysler. Quinze ans qu'il la bichonne. Pas une tache de rouille malgré tous ces hivers, malgré les attaques incessantes du sel étendu dans les rues. Il écoute toujours la même cassette, Willie Lamothe, une star disparue du western québécois. Même musique, même voiture… Il l'a fait repeindre, comme chaque fois, pour brouiller les pistes. A l'atelier, depuis le temps, ils ont l'habitude. Discrétion assurée.

L'homme roule maintenant vers le nord, vers Laval, en respectant scrupuleusement la limite de vitesse. Vive l'ordre. Son revolver bande entre ses cuisses. L'homme se gare dans le driveway d'un petit bungalow anonyme. Il sonne, l'adresse était bonne. La masseuse est très jeune, c'est une rousse,

1 – Le capot

une vraie. L'homme aime l'odeur des rousses, odeur de lait, de framboise aussi, un peu. Mais l'homme ne sait pas nommer les choses. Il sait que cette odeur le trouble, ça lui suffit.

– Je te fais le massage à combien ?

Il répond brutalement.

– Le plus cher.

Elle lui fait la totale, le service complet, mais l'homme en veut plus. Il se lève, prend un cigare dans sa veste posée sur une chaise, l'allume, en tirant de longues bouffées. Il est près de la fille maintenant, il lui tord le bras derrière le dos, fait mine de lui enfoncer son cigare dans l'œil, la force à se retourner. La rousse à l'étrange odeur veut crier.

– Ta gueule !

– Non pas ça !

– T'aime pas çâ ? Tu voulais garder çâ pour ton mari ?

Elle trouve la force de hurler au moment où l'homme s'apprête à quitter la pièce. Le patron, un ancien catcheur couvert de tatouages, avec des bras gros comme des cuisses (le Vengeur masqué, c'était lui), surgit dans le couloir, armé d'une batte de base-ball. Une balle dans le genou l'arrête dans sa course. Il gémit. « Si on te retrouve, mon sacrement, t'es mort. »

L'homme se penche sur lui.

– C'est toi qui es fini.

Une étrange cicatrice dessine un bec-de-lièvre entre sa narine et sa lèvre. Son œil gauche semble mort. Demain, la police viendra fermer ce bordel.

4

Samedi 31 mai

– Çâ, mon cher meussieur, c'est une bière qui est faite ici ! Au Québec ! Oui meussieur !

Le garçon (Bonjour, moi c'est Stéphane) avait déposé une blanche du Richelieu devant le Poulpe au terme d'une série de mouvements circulaires censée refléter un constant souci d'offrir à la distinguée clientèle un service à la fois stylé et décontracté (pourboire non inclus) sans jamais tomber, d'un côté, dans l'obséquiosité ou, de l'autre, dans la familiarité. Car Stéphane soignait son image. De manière obsessionnelle. Temporaire, son travail de waiter lui offrait l'occasion de nouer des contacts, se plaisait-il à dire, mais il ne voulait pas (restons digne) qu'on le prît pour un larbin. Sois toi-même car tu es un winner, avait-il noté d'une écriture fiévreuse sur une des petites fiches qu'il relisait plusieurs fois par jour, surtout dans les moments de doute, comme le préconisait la fameuse Méthode Baxter de Motivation et de Développement personnel. Si son professeur venait de la Gaspésie qui offrait en modèle universel sa propre réussite dans la vente au porte-à-porte de produits ménagers, la technique était californienne à 100 %. C'est vous dire. Des milliers de rich and famous Américains, avait lu Stéphane sur un dépliant, lui devaient gloire et fortune. Or le jeune homme adorait les success stories. « Tu réussiras si tu le veux vraiment », lui répétait une autre fiche.

Deux fois par semaine, Stéphane apprenait, en

compagnie d'une douzaine d'hommes (la seule femme du groupe – une représentante commerciale acnéique et maigrichonne – avait abandonné après le premier cours). Personnalité trop faible, trancha Stéphane devant les autres le surlendemain. En vrai gentleman, il passa sous silence sa vaine tentative de séduction. Elle l'avait traité de bite molle. *Maudzite niaiseuse*, deux fois par semaine donc, Stéphane apprenait à se présenter avec assurance, à serrer des mains, à tendre sa carte d'affaires, à retenir les prénoms, bref à capter l'attention des *Récepteurs* auxquels lui, l'*Emetteur*, adressait un Message forcément fort. Les séminaires, mâtinés de cri primal et de thérapie de groupe, s'intitulaient l'Art de vendre, l'Art de convaincre, Soyez passionnant, et coûtaient la peau du cul. Ce qui est bien le moins.

Elève zélé, Stéphane faisait consciencieusement ses exercices pratiques. L'un d'eux toujours le plongeait dans un état de très grande excitation : dans le métro ou dans le bus, il devait choisir un passager, chercher son regard et le soutenir sans jamais baisser les yeux, tout en s'efforçant de maîtriser ses tics nerveux. L'exercice, quoique banal en apparence, présentait de sérieux risques. Un jour, un grand type avait même menacé de lui « péter la gueule en sang ». Le *message* était clair et Stéphane avait su se montrer fin *récepteur*. Depuis il sélectionnait soigneusement ses victimes, réservant aux hommes de petite taille ou aux femmes d'un certain âge ses œillades pitoyables de futur petit chef de rayon eczémateux et tyrannique. « Tu n'es pas n'importe qui, tu es toi ! », lui rappelait une autre fiche, sa préférée.

Dont acte.

Le Poulpe avait esquissé un sourire et balbutié un merci de circonstance, vague. Devinant un signe d'encouragement dans cette attitude pourtant tout à fait caractéristique de la relation type serveur/client, Stéphane avait engagé la conversation puis, s'enhardissant, s'était lancé dans un exposé enthousiaste sur les microbrasseries québécoises, d'où il ressortait, en substance, que « les Québécois sont du monde bien capables, oui m'sieur ! ».

– Regardez Jacques Villeneuve et Céline Dion. Regardez nos grandes compagnies. C'est fini le temps où on pensait qu'on était nés pour un petit pain. Maintenant, on se lance à l'assaut des marchés internationaux. On n'a pas peur de la mondialisation.

Le jeune homme avait prononcé le mot avec un respect mêlé d'effroi, en détachant les syllabes et en écarquillant les yeux comme s'il avait osé la formule sacrée, le mot unique, celui qui résume l'Univers, Dieu, Allah ou le cul de ta sœur. Mon-di-a-li-sa-tion.

– Avec la globalisation des échanges, les choses vont beaucoup changer. Le monde sera impitoyable pour les loosers et ceux qui refuseront de s'adapter.

Stéphane interpréta mal la mine atterrée du Poulpe devant l'énoncé d'une telle évidence et confessa (allez, je vais vous le dire) sa volonté de faire carrière en politique (sa vraie vocation) après ses études de droit de la finance. D'ailleurs (de vous à moi et sans vouloir me vanter) il travaillait déjà bénévolement pour un ministre. Enfin un presque ministre. Il le deviendra au prochain remaniement du gouvernement. Qui ne saurait tarder compte tenu des échéances.

Oui les échéances.

Stéphane annonça qu'il était évidemment indépendantiste. Bof, pensa le Poulpe, si les souverainistes québécois avaient été de gauche, depuis le temps, ça aurait fini par se savoir. Eux aussi devaient bien chercher à rassurer les places boursières, sans doute avaient-ils déjà payé un lourd tribut aux marchés au nom du réalisme économique. C'était ça ou rien. Et de toute manière, ceux d'en face étaient pires. Mais bon. Le pragmatisme, même de gauche, ne sera jamais que l'autre nom de la soumission.

Affichant un sourire béat de député en campagne chez les bouseux, le serveur (merci bonjour) emmerdait maintenant un autre client. Le Poulpe se retrouva seul face à lui-même et à son verre, sur lequel, repoussant le moment de la découverte, il n'avait encore osé lever la main.

Gabriel fredonna *Blanche ô ma blanche, ton regard suppliant d'animal pris au piège, je le revois souvent*. Faute de sujet de réflexion d'un niveau plus élevé – mais tous les sujets sont bons – il nota au passage pour lui-même que Pierre Perret était au fond un très honnête artisan des mots et, tiens puisqu'on en parle, jugea fort injuste le mépris qu'on lui vouait dans certains milieux où on avait tendance à taxer un peu trop hâtivement de franchouillardise tout ce qui ne ressemblait pas à de la merde lyophilisée. A de la *dehydrated shit*.

Mais pourquoi je te raconte tout ça ?

Le Poulpe était assis en terrasse. L'air semblait pur, le ciel était bleu, le soleil faisait danser des paillettes métallisées dans sa blanche. Avec ses fast-foods, ses restaurants grecs, ses snacks libanais, ses bars, ses boutiques de fringues, de montres, de lunettes de soleil, la rue Saint-Denis, du moins à cette hauteur, se donnait, bien qu'elle ne le fût pas, des allures de rue piétonne. Devenues vitrines marchandes, ses façades victoriennes en pierre de taille, en granit ou en grès, rayées ici et là d'enseignes au néon, tentaient tant bien que mal de rester dignes. Plus bas, à la hauteur de la rue Sainte-Catherine, des immeubles plus récents exhibaient leurs chiures post-modernes et leurs visages de vieillards précoces à la vue des passants, indifférents à une si banale laideur. Malgré tout, la longue rue, impeccablement droite, qu'ombrageaient des arbres vigoureux, n'était pas désagréable. Il y régnait une animation bon enfant, une bonne humeur insouciante dans laquelle le Poulpe, étirant sous la table ses longues jambes, se laissa mollement glisser. Vue d'ici, la ville entière semblait en vacances. Les hommes portaient des shorts et des polos aux couleurs vives. Certains – dans un souci d'esthétique que n'eût pas désavoué Chirac visitant le fort de Brégançon – avaient gardé leurs chaussettes de ville marron ou noires histoire de rehausser un brin le galbe laiteux de leurs mollets blêmes. Des cyclistes frimaient en tenue fluo, coiffés de casques de course aérodynamiques qui leur donnaient l'air plus con encore. De jolies filles pas très habillées perchées sur de hauts patins à roulettes slalomaient entre les voitures avec une aisance aérienne. Elles avaient de l'allure mais le Poulpe les trouva un peu moins émouvantes et beaucoup moins bandantes que les fières Bataves qu'il avait aperçues à Amsterdam, montant, belles et altières par un soir d'automne, de lourdes bicyclettes noires au bord des canaux droits. Une nuit durant, l'une d'elles, au prénom imprononçable, l'avait chevauché tel un vélo sans selle dans le fumant désordre de ses draps parfumés.

* * *

Le Poulpe était à Montréal depuis deux heures. Son avion s'était posé à l'aéroport de Dorval et non pas à Mirabel comme il s'y attendait.

– Mirabel a été une erreur sur toute la ligne, lui avait expliqué son voisin de vol. (L'homme disait « l'aréoport ». La raie au porc, entendit Gabriel.) Dans les années soixante-dix, le gouvernement fédéral a exproprié les villages et les terres de la région pour l'aménager. A l'époque, les gars, à Ottawa, voyaient grand, trop grand. Un parc industriel géant et une ville de 200 000 habitants devaient naître ici. Vingt ans plus tard, on était loin du compte.

L'éléphant blanc avait fini par se marcher sur la trompe et s'était rétamé sur le tarmac craquelé. Après des années de réflexion, d'études, de rapports et de débats, l'Etat s'était résigné à ramener le trafic à l'ancien aéroport de Dorval, une espèce d'Orly local. Mirabel ne conservait que le fret et les charters, en attendant l'arrivée des super-gros-porteurs et le retour massif des voyageurs.

– Ça a coûté cher, des milliards de dollars.

Plusieurs fois pendant le vol, le Poulpe avait extrait de la poche de son jean noir l'article du *Montréal Matin*. Le grain de la photo de Paul était grossier; il s'agissait à l'évidence d'un détail tiré d'un autre cliché. Les policiers l'avaient sans doute récupéré dans son portefeuille, ou chez lui, l'avaient agrandi puis refilé à la presse. Paul avait quarante ans, on lui en donnait beaucoup plus. Son propre poids, davantage que celui des années, l'avait prématurément vieilli. Ses cheveux châtains et fins peinaient à recouvrir son crâne et ses joues ballantes lui donnaient des airs de dogue dépressif. Le corps du gros, photographié à partir de la taille, n'était en fait qu'un amas de graisse blanchâtre. Seul son nez de gamin semblait avoir échappé à l'obésité. Son nez et ses yeux. Le regard de Paul était maigre, un peu inquiet. Ses yeux, presque féminins avec leurs longs cils, jetaient des éclairs secs et noirs. Il ne s'agissait ni de colère, ni de haine, ni de désespoir. Paul ne fixait pas l'objectif mais un point situé bien loin derrière l'appareil, un point de fuite inscrit dans une ligne d'horizon instable, un truc qui devait ressembler à l'ennui, à la tristesse. Ou au néant.

Ce seul regard, et ce qu'il semblait contenir, avait déclenché chez Gabriel un processus intime que rien ni personne ne pouvait désormais interrompre. Dans un coin de sa tête clignotait depuis un petit voyant lumineux, semblable à ceux qui scintillent nuitamment au tableau de bord suspicieux des voitures paranoïaques. Il n'existait pas trente-six moyens de l'éteindre. Le Poulpe avait vu crimes plus odieux, mais il voulait savoir qui s'était arrogé le droit d'abréger à bout portant la vie du gros Paul. Il voulait aussi changer d'air.

Silencieux, déjà absent (hochements de tête désapprobateurs de Gérard), le Poulpe avait donc quitté le Pied de Porc, marché jusqu'à Bastille, descendu le boulevard Henri IV puis traversé la Seine par le pont de Sully pour aller préparer son départ. Sa petite escapade rive gauche commençait de toute façon à traîner en longueur. Saint-Germain-des-Prés, où il n'avait pas pris le temps de flâner depuis un lustre et demi, au moins, était bien devenu une espèce de centre commercial de luxe pour touristes japonais. Le 5ème arrondissement ne présentait pas beaucoup plus d'intérêt. Les rues portaient toujours de jolis noms mais de l'esprit des lieux il ne subsistait plus rien. Rue de Bièvre, les flics de faction, chiens fidèles allongés sur la tombe de leur maître, continuaient de garder la maison de Mitterrand. Profitant de la pause-pipi de leur caniche, un homme d'âge pourri montrait à une femme d'âge mûr le pigeonnier où le président aimait à se retirer pour lire ou écrire. Que ne lui aura-t-on pas pardonné sous prétexte qu'il aimait les livres. Il est vrai qu'entre ça et la tête de veau...

A un jet de crachat, les intégristes catholiques continuaient d'occuper Saint-Nicolas-du-Chardonnet et à pleurer Paul Touvier sans qu'aucun CRS ne songe à venir les déloger à coups de hache. La plupart des librairies que fréquentait le Poulpe à une autre époque avaient en revanche sombré corps et biens, à commencer par celle du père Gasé, près de la place Monge. Quelque part à la campagne, le vieux Sébastien devait meubler sa retraite en reliant des livres anciens après en avoir patiemment blanchi les pages, une à une, à l'eau de Javel. Peut-être était-il mort, comme meurent les uns après les autres les vendeurs de bouquins et leurs boutiques, comme crèvent les uns après les autres les quartiers de Paris. Avec leurs habitants et leurs arbres malades. Et Mitterrand qui aimait se balader le nez en l'air, les mains dans les poches, la prostate dans le trou du cul, en parlant avec ses courtisans de Paris (Ah ! Paris) et des livres (Ah ! les livres) n'y aura vu que du feu.

Faute d'hôtel dans ses goûts (le quartier a vendu son âme pour une poignée d'étoiles ; les petits hôtels, ceux où on pouvait encore il y a peu louer une chambre désuète avec chiottes à l'étage à un prix décent, ont été évidés comme des courges et totalement « restructurés »), le Poulpe s'était replié dans un meublé minable de l'avenue des Gobelins, côté 13ème, à deux pas de l'étrange Château de la Reine Blanche dont l'état de destruction demeurait tout à fait convenable malgré le temps qui passe et rénove tout. Car l'avenir est clair : les politiciens-promoteurs et leurs complices ont décidé de muséifier le cœur de Paris. Caméscope au poing, les vidéotouristes, qui ne veulent pas voir mais avoir vu, s'ébahiront en différé devant un décor de cinéma. Tout le reste, qu'on se le dise, tout le reste y passera.

Sordide à souhait, l'établissement méritait bien ses cinq cafards au Guide Michelin, mais le taulier ne demandait ni passeport ni carte d'identité, fiche de salaire ou quittance EDF, toute espèce de documents que le Poulpe dans sa grande sagesse répugne à produire. D'autant qu'il en serait bien incapable. A moins de faire bosser Pedro sur quelques faux irréprochables. Mais à quoi bon. Ce serait du gaspillage. L'idée n'est pas de donner le change mais de ne pas laisser de traces.

Gabriel Lecouvreur n'existe pas.

En touchant le sol, le sac du Poulpe troubla les ébats d'une petite bande de blattes sottement occupée à partouzer au pied du lit au lieu d'aller bouffer à la pizzeria du rez-de-chaussée comme tout le monde. «Je vous préviens, il y a aussi des rats», avait annoncé l'occupant de la chambre voisine, dont le marcel avait pris avec le temps la couleur des murs. Pas grave. Le Poulpe voulait seulement se faire oublier un peu, voire s'oublier un peu lui-même, le lieu importait peu, là ou ailleurs, en l'occurrence c'était là, voilà tout.

Au plafond, une ampoule à peine habillée diffusait une lumière pluvieuse. Un tissu orange cireux tapissait les murs, il pendait par endroits en lambeaux desséchés, écorchant un vieux papier fade ou une cloison vérolée. Près du lit, le Poulpe posa *Le Poisson-Scorpion*, de Nicolas Bouvier.

«S'installer dans une chambre pour une semaine, un mois, un an, est un acte rituel dont beaucoup de choses vont dépendre et dont il ne faut pas s'acquitter avec un esprit brouillon. Ne pas engorger une frugalité qui est salubre, limiter ses interventions. Dans une chambre digne de ce nom, les couleurs ont pris le temps de s'expliquer, de parvenir par usure et compassion réciproque à un dialogue souhaité et fructueux.»

Le Poulpe avait suivi à la lettre ces sages conseils. La vie, à l'image d'un long fleuve tranquille charriant avec lourdeur ses eaux polluées aux couleurs de merde toxique, s'était écoulée paisiblement pendant une dizaine de jours. Les cafards et Lecouvreur avaient conclu un accord : les premiers n'apparaissaient que lorsque le second était sorti. Pareil pour les rats.

Les choses auraient pu continuer ainsi si des pensionnaires énervés n'avaient eu l'exquise idée de venir conclure dans sa piaule une bagarre à coups de lames. Le patron avait sacrément gueulé. Tout ce sang sur la moquette. Et ces connards de flics qui n'allaient pas manquer de venir l'emmerder. En ahanant et en râlant (« Ah les enculés ! Ah la vache ce qu'il est lourd ! »), il avait lui-même descendu le blessé grossièrement perforé et à moitié inconscient sur le trottoir pour qu'il aille attendre bien sagement, mais ailleurs, l'arrivée des vaillants sapeurs-pompiers de Paris alertés par ses soins. « Enfin quoi, bordel de Dieu, on est humain », s'était défendu le proprio devant l'étonnement des locataires. Le vainqueur, salement amoché lui aussi, s'était barré sans demander son reste. Le Poulpe l'avait imité dès l'aube, non sans avoir formellement annoncé sa décision de se tirer de ce trou vite fait au patron, navré de voir partir ce client bien élevé ma foi, discret et bon payeur. Gabriel quitta les lieux sans regrets car à l'usage cette misère commençait à lui miner sérieusement le moral. « Tu t'embourgeoises ma vieille », s'était-il reproché en fourrant ses fringues, son blouson d'aviateur et ses bouquins dans son sac.

* * *

– Tiens c'est toi…

Édouard Duval-Hérault avait fait demi-tour sans refermer la porte, laissant Gabriel entrer à sa suite. L'appartement de la rue Saint-Jacques était immense et le Poulpe mit plusieurs minutes à retrouver son vieil ami vautré pieds nus dans un profond divan crème, vêtu d'un pantalon de toile et d'un pull ample et bien crade. Entre les deux hommes, le mince fil de l'amitié, l'amitié vraie, loyale, pas l'autre, la virile, faite de codes d'honneur et de sottises de la même eau, ne s'était jamais rompu. Édouard n'aurait jamais suivi Gabriel dans ces «trépidantes aventures d'anar solitaire parti loin de son foyer pour casser du facho», mais, parce qu'il ne les désapprouvait pas, il avait toujours été là en cas de besoin. A chacun son métier.

Élégant, moche, enfin juste assez pour que cela soit séduisant, Duval-Hérault était un personnage déroutant. Fils d'aristocrates (sa famille était apparentée aux barons du Val d'Hérault) et de diplomates, il possédait ces manières, cette aisance innées qui font que même à son corps défendant on appartient à un monde plutôt qu'à un autre. A l'époque, ses accointances avec l'extrême gauche et les mouvements anarchistes firent scandale dans la famille. D'autant qu'on savait son engagement sincère. «Si seulement, Edouard, vous faisiez tout cela par caprice, pour nous torturer, ou simplement pour faire pleurer votre pauvre mère», lui avait dit son père en menaçant de le renier et de le déshériter. Le vieux, sous les pressions de son épouse, était tout de même intervenu pour le sortir des griffes de la police après l'attaque foireuse de la librairie d'extrême droite de la rue du Petit-Pont en 1979. Edouard avait quitté le commissariat sans états d'âme, la tête haute, en disant que jouer les martyrs et s'emmerder en garde à vue avec des ivrognes et (sauf votre respect, madame) des putes ne ferait pas avancer la cause. « Salut camarade, on se revoit bientôt », avait-il lancé à Gabriel hilare. Et on s'était revu. Et on s'était bien foutu de sa gueule de fils à papa. Et davantage encore de ces codes d'honneur qui lient les cons à la vie à la mort. Surtout à la mort.

Aujourd'hui, Edouard perdait ses cheveux, et la quarantaine, encore sans effets sur le Poulpe malgré la bière, voûtait un peu ses épaules, arrondissait son bide. Au fil des ans, Edouard avait perdu le goût des emmerdes et s'était rangé des voitures. A trente ans tout rond, il était entré dans la Carrière les doigts dans le nez, heureux de trouver dans le bureau qu'on lui assigna la poussière promise. L'envie de jouer le jeu s'était toutefois barrée avec sa dernière femme. Depuis sa séparation, Edouard n'allait plus au boulot, il passait ses journées dans son tricot dégueu à cultiver sa haine du monde. La vulgarité de l'époque, la morale unique et marchande, les compromis exigés par cette fin de siècle, les grognements des hommes réduits à vivre comme des porcs, tout cela le minait. Incapable de supporter la tête d'abruti néolibéral de Sylvestre plus de dix secondes, il avait d'ailleurs démoli à coups de pied deux ou trois postes de télé dans l'espoir, à travers une espèce de meurtre sublimé, de le réduire au silence. Bien sûr cela ne changeait rien à rien. Mais c'était toujours ça de pris en ces temps sinistres où on veut nous faire croire que les lois de la nature, à commencer par celle du plus fort, guident aussi les affaires humaines.

– Tu t'installes, avait-il dit en lançant au Poulpe la clef de la chambre de bonne. Si tu as besoin de quoi que ce soit, tu demandes. Je n'aurai pas le temps de m'occuper de toi et, pour ne rien te cacher, pas tellement envie non plus.

Gabriel répondit que ça tombait bien, parce que lui non plus, justement.

Ils ne se virent pas.

Le Poulpe passa de longues heures seul à sa fenêtre, à regarder les toits de tôle, les cheminées en terre cuite, pots d'argile vides où poussaient en d'autres saisons des bouquets de fumée blanche. En étirant le cou, il pouvait voir l'inamovible dôme du Panthéon. Combien de grands hommes dans leur caveau pompier, se demandait-il, combien d'entre eux avaient-ils rêvé de se décomposer bien peinards à la campagne, et qu'on emmerdait jusque dans la mort? Avec Tiberi et Fabius comme voisins. De longues promenades complétaient le programme, dont il revenait défait. Le Jardin des Plantes l'avait achevé. Il y venait autrefois, le dimanche, avec oncle Emile et tante Marie-Claude. C'était une sortie. Fermée deux ou trois ans après sa naissance, la Grande Galerie avait enfin rouvert ses portes. A l'autre extrémité du jardin, le musée de Paléontologie, désormais flanqué d'un MacDo, n'avait pas changé. Toujours le même bric-à-brac, les mêmes parquets craquants sous les pas, les mêmes meubles poussiéreux. Ici, pas de gadgets, pas d'animation multimédia, seulement des petites fiches soigneusement calligraphiées. Le fœtus de négrillon était toujours là pour dire une autre époque. Pour combien de temps? Un jour, il y aura une plainte ou des travaux de «réhabilitation», la petite fiche disparaîtra. Ce sera un tort. En gommant les mots, on ne fait qu'aseptiser le mal. L'erreur est de mal nommer les choses. En vidant les mots de leur sens, on laisse ceux que ça arrange leur en donner un autre sous prétexte d'appeler un chat un chat, de dire tout haut ce que tout le mode pense tout bas, eux les esprits libres et les rebelles authentiques, courageux martyrs de la liberté d'expression qui osent aller se marrer avec Le Pen à la télé.

Le Poulpe était assis sur le banc de pierre adossé au vaste cèdre du Liban planté par Buffon. D'un coup de pied, il chassa trois pigeons. Autour de lui, le monde semblait plus vache que jamais. Le poids de l'inaction, le poids de l'absence aussi, se faisaient lourds. Alors le Poulpe était allé chercher chaleur et réconfort rue Popincourt, dans la longue chevelure de la blonde Cheryl. Mais il avait trouvé désert le lit de satin rose. Envolée la jolie coiffeuse. La patronne est allée voir une vieille tante malade à Lille, avait raconté la shampouineuse-stagiaire. Une vieille tante. D'accord, d'accord, pas de questions, pas de serments, pas de jugements, se rappela Lecouvreur. N'empêche, Cheryl était sa tramontane, son centre de gravité et une sacrée affaire au pieu. Aujourd'hui, elle lui manquait. Vraiment. Il aurait aimé le lui dire. Pas trop gravement tout de même : elle ne l'aurait pas cru.

Le Poulpe avait donc continué à traîner rive gauche, des images de films noir et blanc plein la tête. Un rideau qu'on écarte de la main, de la fenêtre, en contre-plongée, on aperçoit un coin de rue, des piétons courent sous la pluie. Une vitrine de café un soir d'hiver, l'intérieur est aussi lumineux qu'une salle de chirurgie, il y a de la buée aux vitres, du monde au comptoir. Un homme et une femme, une bière à la main, rient, elle en déployant sa gorge généreuse.

Gabriel soupire.

C'est qu'il est sensible Le Poulpe, une vraie jeune fille.

Le hurlement d'une Harley Davidson chevauchée par un créatif de pub vachement rebelle, lui aussi, tire Gabriel de sa rêverie. Il grimace, la Harley disparaît au bout de la rue Saint-Denis, le cri met du temps à s'éteindre. Le Poulpe tend enfin la main vers son verre, en observe longuement le contenu tel un médecin du Moyen Age s'apprêtant à lire les urines brouillées d'un malade pour tenter de deviner son mal.

Comment va le monde, monsieur Lecouvreur ?

Cette blanche lui propose langoureusement son premier contact intime avec le Québec. L'exercice est périlleux. Combien de bières ratées, combien de promesses trahies, de verres de toutes formes laissés pour morts sur des zincs douteux ?

Z'ont intérêt à s'accrocher les Québécois, murmure le Poulpe.

Alors ? La mousse est fine, la bière est douce, dominée par des saveurs de blé et d'épices, la coriandre notamment, il y a un peu d'orange aussi, non ? Un voile reste en bouche. Claquement de langue. Le Poulpe est surpris, conquis. Lui qui ne jure que par la blanche de Bruges ne sera pas venu pour rien. Mais bon. Il se demande quand même ce qu'il fout là.

5

Sonia aussi se demande ce qu'elle fout là. Il faut voir ses yeux. Rouges et cernés. La blonde Sonia a beaucoup pleuré. Mais Sonia ne pleure plus. Il n'y a plus de larmes dans ses yeux rouges et cernés. Sonia hoquette, Sonia bave un peu, Sonia gémit, mais elle ne pleure plus. Et arrête de l'appeler Sonia. Sonia s'appelle Elisabeth. Et puis Elisabeth n'est plus blonde, elle est brune. Comme avant.

Elisabeth est belle, Elisabeth est plutôt grande. Ses épaules sont un peu larges, son dos est bien droit, sa taille fine, ses seins petits mais sans complexe, son ventre est plat, son sexe brun, qu'on devine soyeux, son cul rond et élégant repose sur de longues jambes longues aux cuisses ivoire. Maintenant, Elisabeth est nue devant la glace, et un insecte immonde lui bouffe le ventre.

Dans le cœur d'Elisabeth, quelque part par là, subsistait quelque chose de mou, moelleux et perméable, un petit bout d'âme intact, inexploré, une faille dans l'étincelante cote de maille patiemment tricotée par elle autour de ses organes vitaux. Lorsque Paul est mort, ce quelque chose s'est vitrifié.

D'un coup.

Comme les parquets d'Hiroshima un 6 août.

Elisabeth ne comprend pas. Comprendre quoi? Elisabeth ne sait rien. De sa fenêtre, Elisabeth a vu la voiture et l'homme de la voiture, Elisabeth a vu tomber Paul, vu les gens, les voitures de la police, les ambulanciers. Au-dessus du pare-chocs, il y avait le mot ambulance écrit à l'envers, E-C-N-A-L-U-B-M-A, pour que les conducteurs puissent le lire à l'endroit dans leurs rétroviseurs. Des fois qu'ils confondraient avec la camionnette du marchand de glaces. C'est absurde, a murmuré Elisabeth, sans qu'on sache si elle parlait de l'ambulance ou de la mort de Paul. L'ambulance jaune fluo, dans un bâillement sec, a mangé Paul. Les portières ont claqué. Elisabeth a songé aux petites portes qui allaient encore s'ouvrir et se refermer pour Paul : celles du tiroir réfrigéré de la morgue (dans un bruit de roulement à billes), celles du corbillard, celles du crématorium, et d'autres encore, peut-être, auxquelles elle ne croyait pas. On va l'incinérer c'est sûr, a pensé Elisabeth. Sans savoir.

Elisabeth n'est pas descendue rejoindre la foule des chômeurs, derrière les bandes jaunes tendues par la police pour délimiter les lieux du crime. Elisabeth n'a pas répondu aux flics lorsqu'ils ont frappé aux portes du voisinage à la recherche de témoins. Elisabeth n'avait rien à leur dire, Elisabeth n'avait pas envie de se faire tutoyer, pas envie de répondre aux questions, pas envie d'être draguée par un gros beauf à casquette qui l'aurait appelée ma p'tite mademoiselle.

Elisabeth est allée chez le coiffeur, se laver de cette blondeur qu'elle détestait. Si la nature l'avait voulue blonde, elle dont les grands-parents paternels étaient danois, elle n'aurait pas hésité. Mais non. Elisabeth était née brune et l'était restée jusqu'à ses vingt-deux ans. Ensuite, la vie avait décidé pour elle. La demande pour les blondes est très forte, avait dit le gérant du bar. Elisabeth n'avait dupé personne : forcément, dans son métier, difficile de mentir sur la marchandise.

Elisabeth a passé des heures à marcher... Des heures à marcher dans les ruelles crasseuses où Montréal montre aux passants égarés son cul crotté, elle a vomi au milieu des sacs à ordures en plastique vert éventrés par les chats.

Sur le pas de la porte d'une épicerie de quartier, un homme a sifflé sur son passage, marmonné un commentaire salace qu'Elisabeth a fait mine de ne pas entendre. Elisabeth s'est arrêtée Chez Denise, un café granola du Plateau Mont-Royal, a commandé un thé à une serveuse souriante. A la table voisine, deux femmes s'enlaçaient. Le jour vacillait lorsque Elisabeth est sortie, une lumière douce finissait de lécher la ville.

Elisabeth est toujours nue devant sa glace. Elisabeth est plus calme maintenant. Le téléphone sonne. C'est Max.

– J'sais que t'es-t-en congé mais tsu-peux-tsu rentrer à soir? demande Max. On va avoir pas mal de monde après la game de hockey.

– Pas de problème, Max, pas de problème.

Les copines trouvent qu'Elisabeth (Mais t'es brune!) a une sale tête. Dans la loge (ça une loge), Elisabeth se fait quelques lignes.

– Et voici maintenant la chareu-mante Soniââ, annonce une voix de maquereau.

Ce soir-là, sur la petite scène tendue de velours rouge, la charmante Sonia, sous sa boule en miroirs, danse comme jamais elle n'a dansé.

– N'oubliez pas, messieurs, qu'elle danse aussi à votre table.

Mais aucun client ne fait signe à Elisabeth. Elisabeth est ailleurs, Elisabeth est trop loin, son rouge à lèvres rouge sang trop violent. Ça effraie ces ringards qui voudraient lui faire porter un moment, contre une poignée de dollars, les oripeaux cheap de leurs fantasmes paresseux. Max n'est pas très content. Mais bon, ça arrive.

Il est trois heures et demie, le bar ferme. Le videur escorte les filles jusqu'à leur taxi, ne regagne son poste derrière le judas que lorsqu'elles sont à bord, en sécurité. Chaque soir, des clients qui n'ont pas compris que tout ça n'était qu'un jeu, rien qu'un jeu, viennent relancer les danseuses à la sortie. Roger leur fait comprendre qu'il y a eu un petit malentendu. « Fais pas de troubles, la soirée est finie, va-t'en chez vous, va voir ta femme », leur dit Roger. Parfois Roger cogne.

Elisabeth est enfin chez elle. Elisabeth a tiré les rideaux, sa peau et ses cheveux sentent la fumée. Un long bain, des downers, un scotch, dodo. Bientôt l'aube. Elisabeth au milieu de ses oursons en peluche dort. Pour la première fois depuis mille ans. Au moins. Sous les paupières closes d'Elisabeth, deux petits radars fous balaient le néant. Derrière ses yeux agités défilent en séquences saccadées des rêves difformes. Qui s'évanouissent aussitôt. La pellicule reste vierge. Ce sont les aléas du direct. Y'aura pas de rediff.

6

Dimanche 6 juin

Le Poulpe mit un temps à comprendre où il se trouvait. Le motif papier-cul du papier peint ne lui rappelait rien. Longuement il resta immobile, multipliant les paliers d'éveil pour émerger en douceur, lentement la lumière du jour filtrée par un store en métal beige se fraya un chemin jusqu'à son cerveau. La vacherie du monde, ses quarante ans, l'an 2000, les failles et les désordres apparents du quotidien, ses activités d'enquêteur un peu plus libertaire que d'habitude, toutes ces conneries pour quart de couverture de roman de gare lui revinrent en mémoire entre deux élancements le long des pariétales. Il enfonça son visage dans l'oreiller en grognant. Une érection diurétique le tira finalement hors du lit : sa deuxième journée à Montréal s'ouvrait sur une envie de pisser.

La première avait été chiante. Après avoir dépiauté les journaux frais sans nulle part trouver mention du gros Paul, Gabriel avait traîné dans le quartier. Dans un bar à bière de la rue Ontario, encouragé par sa première expérience, il s'était consciencieusement plongé dans l'étude comparée des mérites des bières locales puis avait dîné chez Schwartz, rue Saint-Laurent, de deux sandwiches au smoked meat accompagnés de frites grasses et généreuses. Devant un Burger King, à l'angle de la rue Sainte-Catherine, une pute l'avait invité à monter. Le Poulpe avait d'abord cru qu'elle tentait d'attirer son attention par un de ces tss-tss que l'on chuchote dans le noir, au cinéma, pour signaler sa présence à un ami égaré au retour des toilettes.

– Tsu sors-tsu ?

– Non merci, madame.

Il avait trouvé en tanguant un petit hôtel rue Sherbrooke, un modeste *tourist room* comme on disait avant les lois linguistiques, vieillot mais pas trop crade. Derrière le comptoir ancien trônait une dame grisonnante, fort avenante et propre sur elle. Ses lèvres fines et ridées étaient ramassées autour d'une bouche en trou de balle, sa voix était nasillarde, désagréable.

– Nous recevons beaucoup de touristes français, avait-elle annoncé en roulant les r, avec un accent de vieille religieuse infantile.

Le Poulpe commençait à connaître la chanson, qui semblait avoir résolument supplanté les habituelles considérations météorologiques au chapitre des banalités proférées avec aplomb par les serveurs, les vendeurs et autres techniciens de surface pour entamer la conversation.

– Vous vous rendez compte ? Presque 500 000 Français viennent nous voir chaque année. Ça fait du monde à'messe çâ, m'sieur !

Vous pouvez vous les mettre au cul, avait failli répondre le Poulpe à plus d'une reprise. Le tourisme pollue, le touriste pue. Le tourisme, c'est le pouvoir aux épiciers, c'est la victoire du ski sur la montagne vierge, la victoire du béton sur le littoral, du car bondé de buveurs de Kro sur l'olivier centenaire, la victoire de ceux qui achètent sur ce qui ne devrait pas se vendre.

Le monde est en voie de baléarisation.

Gavé jusqu'aux yeux de MacDo nappé de Haagen Daz, il ne sera bientôt plus qu'un immense parc d'attractions peuplé de braves gens obscènes coiffés d'oreilles de Mickey, vêtus de ponchos imperméables en plastique jaune.

Le monde est en voie d'infantilisation.

* * *

La matinée tirait à sa fin. Gabriel, entouré de clochards déjà bien bourrés, contemplait les maisons cossues du Carré Saint-Louis, ancien haut lieu de la bourgeoisie montréalaise de langue française, en plein cœur de l'ancien Quartier latin. Assis sur son banc, il se reprocha sévèrement sa manie de se lancer au premier coup de blues sur des coups foireux. Il était là, son fumeux instinct sous le bras, sans indices, sans contacts, dans un pays qu'il ne connaissait pas et dont il n'avait rien à foutre. Paul mis à part. Mais ça lui faisait une belle grosse jambe variqueuse, à l'obèse défunt, ces histoires de petites loupiotes dans le crâne du Poulpe.

Un écureuil noir, de la taille d'un chat, passa devant lui, s'arrêta un moment. La seule expérience québécoise de Gabriel remontait à son adolescence. Dans un blockhaus d'une plage normande, près de chez le cousin Christophe, le rubicond, où ses parents adoptifs l'amenaient parfois en vacances, Guylaine s'était montrée entreprenante. Il s'était laissé faire. L'aventure relevait davantage du touche-pipi que de la mégapartouze, mais bon, il avait quatorze ou quinze ans et gardait aujourd'hui encore un souvenir ému de cette étreinte maladroite qui sentait la mer et le béton pisseux. Oui, elle s'appelait Guylaine et portait déjà une petite culotte noire.

La vision de dentelles s'estompa et fit place aux pages du *Montréal Matin* qu'agitait légèrement un vent chaud. Gabriel s'étonna qu'on puisse encore jouer au hockey en cette saison. Le tabloïd tartinait pourtant en long et en large sur le début de la finale du championnat de hockey sur glace, la coupe Stanley. Les Caribous de Montréal, donnés largement favoris, s'étaient fait baiser dans les grandes largeurs par les Queens de San Francisco. Pourquoi, comment, par qui, à combien et à quelle heure ? Les réponses à ces vitales interrogations tenaient sur une bonne vingtaine de pages. Sur la mort de Paul, en revanche, pas un mot. Quatre jours déjà. L'affaire avait été résolue ou oubliée, fallait voir.

C'est pas gagné, mon petit gars, dit Gabriel à haute voix, singeant involontairement un robineux[1] écroulé derrière son banc.

* * *

Gabriel se découvrait une soudaine propension à la procrastination, penchant néfaste entre tous et considéré par la science comme une pathologie légère au même titre que l'incapacité de dire non, la peur du ridicule, la crainte de l'échec et bien d'autres choses encore, mais attends, c'est pas marqué Freud, si ça t'intéresse, t'es gentil, tu vas voir un psy.

La rue Prince-Arthur, envahie par la piétaille, était piétonne, le restaurant, grec, et on pouvait y apporter sa propre bouteille de vin. Le Poulpe s'excusa

1 – Un clochard

d'arriver les mains vides et commanda, pour accompagner une brochette de poisson bien dégoûtante, une Epsilon, une hellénique sensuelle et longue en bouche. La première gorgée lui rappela une ancienne amante grecque (sa chevelure d'un noir troublant soulignait la blancheur irréelle de sa peau).

Gabriel s'attarda à table, sur laquelle il venait de déplier un plan de Montréal, il leva la tête vers le ciel pour que le soleil de midi chauffe la peau de son visage – mais juste un peu, sinon ça fait des rides. Décidément, les palpitantes aventures de Procrastinator tardaient à démarrer. Pour se justifier, le Poulpe observa que Montréal, pomme de terre tordue jetée au milieu du fleuve, était une île. Comme Manhattan. Or les îles, rappelle Bouvier perdu à Ceylan, posent et résolvent les problèmes à leur façon. *« Ce qu'on apporte dans une île est sujet à métamorphoses. Une île est comme un doigt posé sur une bouche invisible et l'on sait, depuis Ulysse, que le temps n'y passe pas comme ailleurs. »* Mais, autour de Montréal, il y avait sans doute trop de ponts et pas assez d'eau pour que s'appliquât la règle.

La ville est quadrillée comme une grille de mots croisés. La rue Saint-Laurent est la clé de tout, qui la Coupe en deux. A l'ouest les anglophones, à l'est les francophones. Pour faire court. La Maine a toujours été le lieu de tous les mélanges, de tous les commerces, des tous les croisements aussi. Ses usines ont été transformées en boîtes de nuit ou en restaurants branchés, les anglos s'y aventurent désormais. Mais elle a gardé son rôle de ligne de démarcation psychologique.

Du haut du mont Royal, le Poulpe vit le fleuve et

ses ponts. Les tours du centre-ville lui rappelèrent qu'il était en Amérique, contrairement à la légende qui veut que Montréal soit également européenne sous prétexte qu'on y parle français, avec une économie de vocabulaire qui force l'admiration. A l'est, le stade olympique construit pour les jeux de 1976 écrasait les quartiers populaires de sa masse disgracieuse. Construit par Taillibert, l'architecte du Parc des princes, cet étron de béton avait coûté 1 milliard de dollars, et sa toiture de toile rétractable, installée bien des années après les jeux, ne fonctionna jamais. Pendue aux filins d'acier fixés au sommet de sa tour inclinée tel un Kleenex improbable accroché à des fils d'araignée géants, elle demeura désespérément immobile, comme le premier toit venu, mais en plus con. Qu'importe : il fallait mettre la ville sur la mappe. Aujourd'hui, c'est connu, en Ouzbékistan, dans le Matto Grosso, à Gulu, Zhikharkhunglung, Constanza ou Olafsfjordhur, les enfants s'endorment le soir venu en rêvant à Montréal et à son stade inutile.

***

– Tabarnac qu'y-é-fou ! Ça s'peut quasiment pâs êt'e fou de même.

A la radio un animateur ordurier bavait sur tout ce qui bouge : les tapettes, les intellectuels, les pauvres, les assistés sociaux, les fonctionnaires. Le chauffeur du taxi se marrait comme souvent se marre dans sa cage de tôle froissable le chauffeur de taxi débile lorsqu'un connard raciste, démago et haineux lui flatte l'oreille dans le gros bon sens populaire du poil.

– Saint-Ciboure qu'y-é-fou! Ça s'peut quasiment pâs êt'e fou de même? répétait l'homme au volant.

Le Poulpe pensait à Paul. Agacé, il demanda poliment puis, devant la lenteur que mettait le primate à satisfaire sa demande, exigea fermement de lui qu'il passât à un autre programme, musical de préférence, s'il-te-plaît, Ducon.

A la hauteur de la place des Arts, un attroupement, des banderoles attirèrent son attention. Devant les deux tours d'un grand complexe, une centaine de manifestants, encadrés par un solide cordon de policiers, scandaient des slogans antifascistes. Ils portaient des vêtements négligés – jeans troués, tee-shirts noirs – et affichaient les mêmes gueules infréquentables, les mêmes tronches d'asociaux imperméables aux lois du marché et au réalisme économique. Bref, c'étaient des potes.

– Stop. Je descends là.

– Fâche-toé pâs calvaire, m'â-t'en mette d'la musique, plaida le chauffeur en prenant le billet de dix dollars que lui tendait son client

Le Poulpe traversa un fleuve de bagnoles et s'approcha du groupe, pas trop vite tout de même en songeant que les RG locaux avaient sûrement à l'œil ces vilains gauchistes. Il aborda une jeune fille aux cheveux rouge vif.

– Que se passe-t-il?

– Une association d'extrême droite américaine tient son congrès dans cet hôtel. On veut faire savoir à ces malades qu'on ne veut pas d'eux autres ici.

– C'est qui exactement?

– Human Life Federation. Environ 100 000

membres dans le monde. Aux Etats-Unis surtout. Au menu : pas de sexe, pas de capote, pas de plaisir, mais des familles nombreuses, le tout sur fond d'intégrisme catholique, d'inégalité des races et d'homophobie. Avec le sida en punition divine pour tous les pervers sodomites.

Gabriel observa les jeunes gens : ils n'étaient pas hyper bien organisés mais ils avaient assimilé les techniques de base de ce genre d'opération. Une douzaine de manifestants se détachèrent du groupe en ordre dispersé. Ils préparaient à l'évidence quelque chose que le Poulpe ne voulait pas rater. Conférence de presse, salon Horizon, annonçait un panneau. Gabriel suivit la flèche. Dans la petite salle, le leader de l'organisation, un yankee pure race mais de petite taille (cinquante ans, dents blanches, brushing, nez en trompette) rencontrait la presse. A ses côtés, une métastase locale répondait dans leur dialecte aux questions molles d'une poignée de journalistes. Le type était grand et maigre, avec un visage en forme de couille desséchée.

– Dans nos écoles, on a remplacé le crucifix par le sexe et la drogue. On pousse les jeunes filles enceintes à se faire avorter. Il ne faut pas avoir peur des mots. On peut véritablement parler d'un holocauste, un vrai celui-là. On enseigne la perversion, on favorise les couples homosexuels, on adopte des enfants étrangers, alors que notre propre sang et notre propre religion avortent. Nous sommes aux portes de l'enfer.

L'irruption d'une demi-douzaine de manifestants – les autres avaient sans doute été interceptés – le stoppa net dans son élan. Les anarchistes s'approchèrent de la table et crachèrent sur les intégristes un flot d'insultes bien pesées. Le service d'ordre s'interposa, les journalistes de la radio et les équipes de télé se levèrent d'un bond pour ne pas rater un son, une image de l'affrontement. Le nazillon en chef se rua en premier sur les manifestants mal préparés à un corps-à-corps avec un nain hystérique et écumant de rage. L'échauffourée dégénéra en bagarre générale. Dans un coin, le petit chef tapait sur un garçon frêle acculé à un mur tandis qu'un de ses blonds molosses aux yeux bleus se préparait à abattre sur la jeune femme aux cheveux rouges une main gantée de cuir. Résignée, elle se protégea la tête avec les bras et ferma les yeux. Elle entendit un bruit mat, une espèce de craquement sourd et entre ses cheveux défaits vit l'homme s'écrouler au sol, lourdement, comme un sac de sable chutant d'un nid de mitrailleuse. Le Poulpe, utilisant à fond sa longue portée, avait allongé à l'aryen une extrême droite qu'il n'avait pas vue venir.

Le S.S. était H.S.

– You, devil, I'm gonna kill you !

Le nabot ricain apprécia peu que l'on abîme de la sorte un authentique amoureux de la vie et se précipita sur Gabriel. Le Poulpe fit face. Il n'eut pas le temps d'esquisser un geste : tout le service d'ordre se jeta sur lui, les manifestants sur le service d'ordre, les flics sur tout ce beau monde, au milieu des cris de mouettes paniquées des journalistes mâles et femelles. Les coincés du cul battirent en retraite, le commando décrocha, la jeune femme aux cheveux rouges tira le Poulpe par la manche.

– On se pousse. Suis-moi, je connais le chemin.

Le Poulpe la suivit non sans avoir noté au passage que le Québécois se «pousse» là où le Français se «tire» (c'est quand même dingue toutes les choses qu'on apprend en voyage). Elle le guida par les escaliers de service, ils traversèrent la buanderie, la salle de sports, remontèrent par les cuisines et se retrouvèrent au soleil. Rue Jeanne-Mance, des manifestants se fritaient sévèrement avec l'escouade anti-émeute.

– Ça fait quand même du bien.

Gabriel constata avec plaisir que la résistance s'organisait à Montréal aussi. Il regrettait seulement que la scène ait été tournée par les caméras de la télévision. Pour la discrétion, c'était raté. L'heure était venue de se bouger.

Vraiment.

Il est comme ça, Lecouvreur : si on ne le secoue pas, le Poulpe reste au fond.

* * *

Le point de rassemblement était un vaste appartement du quartier Hochelaga-Maisonneuve. Une dizaine de jeunes s'y trouvait quand arrivèrent Gabriel et cheveux rouges. Beaucoup d'autres manquaient à l'appel : à Montréal, les flics ont pris l'habitude d'infiltrer les manifestations. Désormais, on vous arrête pour un oui ou pour un non. Surtout pour un non.

Le Poulpe fut accueilli en héros.

– On sait pas d'où tu sors, mais t'as fait une maudite bonne job, lança un jeune homme. Moi c'est Antoine.

– Je m'appelle Gabriel mais mes amis me surnomment le Poulpe.

– Et tu fais quoi dans la vie, le Poulpe ?

– Emmerdeur professionnel. Mais aujourd'hui, je me trouvais là un peu par hasard. Je suis ici pour autre chose.

– Peu importe ce que c'est, si t'as besoin d'aide, tu sais où on est.

L'appartement était un sacré foutoir. Il y avait trois ou quatre vélos dans le couloir, des livres et des CD en pagaille, un gros chat. Deux guitares séchaient dans un coin du salon. Personne n'avait plus de trente ans.

La jeune femme aux cheveux rouge vif…

– Je m'appelle Mélanie.

Mélanie tendit au Poulpe une Black, une lager blonde légère et peu houblonnée.

– Nous sommes plutôt anarchistes mais il y a du monde qui aime pas ça, disait Antoine. On nous surnomme les manifestants professionnels. Notre mouvement a souvent été désavoué par les associations plus officielles. Récemment encore, des élus du Front national sont venus assister à un congrès. On a appelé à manifester. La Ligue antifasciste de Montréal a désapprouvé notre action. Supposément, on faisait de la publicité aux fachos. Des éditorialistes sont allés jusqu'à écrire qu'il fallait les accueillir poliment même si on ne partageait pas leur point de vue.

– On appelle ça servir la soupe à l'extrême droite. Ça se fait beaucoup chez nous. Parfois, on lui laisse même tenir la louche. Ou on la tient à sa place…

– Ici, elle reste minoritaire, presque folklorique, mais certaines idées font du chemin. L'intégrisme religieux progresse. A c't'heure, à la télévision d'Etat on peut même pu faire des jokes sur le pape.

On commanda des pizzas, des vraies, pas ces rondelles de carton en sauce formatées qu'on peut acheter jusque dans le fin fond de l'Amazonie.

– On va regarder le Téléjournal, suggéra quelqu'un.

Il était vingt-deux heures : la petite fenêtre s'ouvrit sur l'immonde. Après quelques pubs débiles, une espèce de bègue, appuyé sur un coude, stylo à la main, s'adressa aux téléspectateurs comme à des attardés mentaux, en ponctuant ses phrases de gestes de vendeur d'aspirateurs.

«Ça a brassé pendant le congrès de Human Life Federation, qui est une organisation d'extrême droite des Etats-Unis, une association américaine, donc, qui défend des idées ultraconservatrices, donc très très conservatrices... Des manifestants ont empêché la tenue de la conférence de presse que devait donner le leader, le chef quoi, de cette association... Plus d'une cinquantaine d'entre eux ont été arrêtés...»

Les images n'étaient pas très stables, le caméraman avait été passablement secoué lui aussi, le con. Coup de bol, on ne voyait jamais le Poulpe de face. On passa rapidement sur l'incident. Le visage du Premier ministre du Canada, tordu par une vieille paralysie ou une très ancienne douleur, apparut, plein pot. A l'intention des séparatistes québécois, dans une langue que le Poulpe ne reconnut pas tout de suite, il proféra de graves menaces, avec cet aplomb inimitable que confèrent le pouvoir, la richesse, l'ignorance ou l'imbécillité. C'est selon.

« Si le Canada est divisible, le Québec l'est aussi. » Si vous cassez notre pays, on émiette le vôtre. Des images d'épuration linguistique, de découpage ethnique, de dépeçage territorial se bousculèrent dans le crâne de Gabriel.

– Il est irresponsable ou il fait semblant ?

– Ça fait une différence ? demanda Antoine. C'est le résultat qui compte. A Ottawa, et au Canada anglais, il y a de plus en plus de partisans de la ligne dure face au Québec. On appelle ça le Plan B. Tu veux le divorce ? OK ! Mais pas question de négocier. T'auras pas le char, ni la maison ni un seul meuble. Rien, t'entends-tu ? J'aime mieux crisser le feu dedans.

On leva les yeux au ciel, on soupira, on secoua la tête, avec découragement ; le Premier ministre en profita pour s'engouffrer dans une limousine. De New York, une pète-sec s'inquiéta ensuite de la montée du « terrorisme musulman » sur le territoire américain, de Toronto, un chauve avec une voix de fumeur célébra l'économie de marché, puis on parla de hockey, encore et encore... Ça commençait à bien faire. Un des membres de la bande, un certain Frank, zappa.

Assis là, au milieu de ces jeunes, Gabriel, un peu stone, avait l'impression d'être enfin arrivé. Antoine lui plaisait. Le jeune homme n'était ni un missionnaire ni un croisé, il avait seulement identifié l'ennemi, la victime, et choisi son camp.

– La lutte est inégale. C'est la pensée unique contre pas de pensée du tout. Le capitalisme est un régime totalitaire régnant sur un peuple de zombies. Y'a pas d'opposition, tout le monde est d'accord. Le bétail ne se contente plus d'aller seul à l'abattoir, en plus il se fait hara-kiri en rêvant à la richesse du boucher. A l'aliénation s'ajoute l'acquiescement.

– Y'a quand même pas mal de monde qui chiale, objecta quelqu'un.

– Peut-être mais la critique est morte. Le grand décervelage a commencé. La télé implante dans les têtes l'ordre marchand. Les lois du marché ont remplacé les lois divines, le chômage les feux de l'enfer. Seuls les financiers savent interpréter les Ecritures. Les hérétiques, possédés par de dangereux démons avides de partage, sont confondus à coup de miracles économiques. La culture est présentée comme une simple activité économique, alors que c'est l'amour du profit qui est culturel. Mais va donc expliquer ça à la tévé en trente secondes. C'est trop compliqué. L'argent fascine, pas la justice. On est fourrés à l'os.

Antoine parlait sans s'enflammer, d'une voix chaude et grave. Il était plutôt beau mec (plus que Bourdieux en tout cas), ses mains étaient élégantes, ses gestes souples ; ses allures de romantique allemand devaient plaire aux filles. Tant mieux. C'était toujours ça que les boys bands n'auraient pas. Dans son coin, Mélanie souriait. Elle les connaissait par cœur, les discours de son ex, mais elle ne s'en lassait pas. C'était de jouer les égéries qui ne la branchait plus.

– Je suis comédienne. Je veux faire du théâtre, du théâtre populaire, social, engagé. Mais j'sais bien que ça existe pas. Le théâtre a jamais sauvé personne. Je vais finir animatrice dans une garderie ou figurante dans un téléroman.

Mélanie parlait doucement elle aussi.

– C'est quoi cette musique ? demanda le Poulpe.

– *L'Heptade*, du groupe Harmonium. J'étais encore un bébé quand c'est sorti.

Une femme à la voix grave racontait doucement que sa tête s'était mise à danser comme le bout d'une chandelle. « La raison part en fumée, on n'aura plus besoin d'elle », chantonna Mélanie.

La nuit était déjà avancée quand elle le tira à nouveau par la manche.

– Viens, je connais le chemin, lui dit-elle encore.

Ses yeux étaient vert ironie, un immense lit ancien, en laiton, meublait sa chambre, son peignoir de soie rouge, un peu élimé, laissait entrevoir à chacun de ses pas l'éclat soyeux de ses cuisses métisses.

– Mais tu n'es pas une vraie rouge vif, s'exclama le Poulpe, comme ça, juste pour dire une connerie, lorsque glissa son peignoir derrière ses épaules fines.

Elle eut l'indulgence de sourire une nouvelle fois.

En léchant sa peau, Gabriel songea à l'Orient.

A l'aube, elle lui sourit d'un œil avant qu'il ne quitte la pièce. Tu t'en vas déjà ? Ses cheveux rouges dessinaient un coquelicot géant sur son oreiller de coton blanc.

* * *

UNE VICTOIRE BIEN MÉRITÉE

MONTRÉAL – Les Caribous la méritaient bien, cette victoire. Hier soir, devant des fans inquiets après la cuisante défaite subie par les « Valeureux » lors du premier affrontement avec les Queens de San Francisco, les Montréalais ont remporté le deuxième match de la série finale par la marque de 3 à 2.

Les trois buts des Caribous ont été marqués par Claude Trudel, qui est devenu le premier défenseur de l'histoire à réaliser un tour du chapeau en série finale. Seul le légendaire Maurice Ricard, qui jouait à l'avant, avait fait mieux en son temps.

Les Caribous ont dominé le jeu du début à la fin du match, frappant leurs adversaires sans relâche et fermant le centre de la patinoire pour empêcher les Queens de monter les attaques rapides dont ils ont le secret. San Francisco a quand même réussi à inquiéter Montréal. La marque est restée égale 2 à 2 jusqu'à la toute fin de la partie. Il ne restait plus que dix secondes au tableau indicateur lorsque Trudel est venu briser cette égalité avec un foudroyant tir frappé effectué depuis la ligne bleue.

La série est maintenant égale 1 à 1. Les Caribous peuvent respirer plus à l'aise.

7

Lundi 2 juin

Le Poupe leva les yeux vers la déplaisante silhouette noire de la prison Parthenais. L'architecte avait fait du bon travail : l'immeuble foutait la trouille, des fantasmes de torture et d'exécutions sommaires suintaient de ses murs, on avait tout de suite envie de se pendre à ses lacets de chaussure.

Juste derrière, le pont Jacques-Cartier, en prenant appui sur l'île Sainte-Hélène comme sur un gros caillou, se jetait en travers du fleuve dans une débauche eiffelienne d'acier vert. Sur l'île Notre-Dame se dressaient encore des vestiges de l'Exposition universelle de 1967, un casino d'État, aménagé dans l'ancien pavillon de la France, y faisait désormais, au petit bonheur la chance, la joie et la fierté des Québécois. On a les projets de société qu'on peut.

Le Poulpe tourna le dos à la prison et marcha jusqu'à la rue Hochelaga. La ville était déjà bien réveillée, il chercha sur sa main l'odeur de Mélanie. Non rien.

La *binerie* sentait le café, la cuisine graisseuse et les matins pâlichons. Les coudes sur le comptoir, Gabriel commanda, en se tortillant sur son tabouret pivotant, un énorme petit déjeuner, avec des beans, des œufs au plat, du bacon, du jus d'orange et un stock considérable de toasts au pain blanc. Son instinct de survie lui recommanda d'éviter le beurre de peannut. A tort : ce n'est pas mauvais, seulement il faut avoir l'habitude. Maquillée comme une Cadillac volée, la serveuse mâchait de la gomme sans sucre sans desserrer les lèvres, pour faire distingué. Sous les lobes de ses oreilles, les muscles de ses maxillaires se contractaient au rythme de ses mastications.

Elle aussi parlait du nez.

– Tsu-veux-tsu encore du café, mon griiiiind ?

L'Amérique, je te dis.

Fébriles, deux oiseaux de nuit fatigués tendirent

leur grosse tasse blanche vers la cafetière en verre Pyrex pleine d'un liquide presque translucide que leur présentait Thérèse. « Merci ma belle chouette. » Un travailleur d'usine usé fit non de la main. A une table, une femme desséchée fumait nerveusement cigarette sur cigarette en jetant autour d'elle des regards de perruche valiumée.

Si Gabriel avait entrepris de lire le *Montréal Matin* par la fin, comme les gens normaux et amateurs de sports, il aurait appris que les Caribous avaient remporté la veille le second match de la série finale. Le coach jubilait et promettait de ne plus faire de cadeaux aux Queens. Lâchez pas les p'tits gars ! Le Poulpe n'entendait rien à ce sport. Il savait vaguement que les hockeyeurs, chaussés de patins à glace, devaient, la crosse à l'air, faire entrer un truc en caoutchouc noir, un palet, dans le but adverse. (Hé la tapette ! Icitte on dit un bâton de hockey pis un puck. Un disque, à la limite, une rondelle. Mais pas un palet ! Compris l'hostie de Français ?)

A l'autre bout du journal, un car bourré de handicapés disparaissait corps et biens dans les eaux glauques d'un lac de l'Estrie après avoir raté un virage ; une bande de bikers dynamitait le repaire d'une gang de motards rivale ; une fuite de gaz soufflait un centre de sans-abri du Vieux Montréal ; un incendie rasait un semi-détaché du quartier italien. L'échauffourée avec les Américains était expédiée en quelques lignes ; le Poulpe n'apparaissait pas non plus sur la photo. Très bien.

Gabriel trouva le gros Paul coincé dans un mince entrefilet, entre deux publicités. Enfin.

« Les premiers résultats de l'enquête, confiée à

l'escouade des homicides de la police de la communauté urbaine de Montréal laissent croire que la victime a probablement été tirée par un tueur à gages professionnel. Les enquêteurs s'orientent de plus en plus vers l'hypothèse d'une erreur sur la personne parce que Paul Gélinas menait une vie tranquille et n'avait aucun ennemi, selon les témoignages recueillis.»

C'est ça. Vachement bien torché en plus.

* * *

La pièce de vingt-cinq cents glissa dans la fente du téléphone puis tomba dans son ventre sans faire de bruit.

– De La Marre, j'écoute.

– Bonjour, monsieur de La Marre? Je m'appelle Jean-Marc Blury, du journal *Le Parisien.* Voilà : je me trouve à Montréal en ce moment pour une série d'articles sur le rapport entre la criminalité et les images violentes colportées par la télévision et le cinéma en Amérique du Nord. Or j'ai cru comprendre en lisant certains de vos papiers dans le *Montréal Matin* que le sujet vous intéressait aussi. J'ai justement sous les yeux un truc que vous avez écrit sur la mort d'un gros homme appelé... Attendez... Paul Gélinas... Vous laissez entendre qu'on l'a tué à cause de son obésité. Comme dans le film *Sept*...

– *Seven*...

– Oui, c'est cela. C'est un cas très intéressant. J'aimerais en discuter avec vous. En fait, j'aimerais beaucoup vous interviewer.

– Pas de problème, ça va me faire plaisir. Je connais ça la France, moi. J'y ai été une fois. J'aime beaucoup les Français aussi, même si je les trouve pas ben bons pour raconter les faits divers dans les journaux. J'aimerais ça qu'on parle de ça aussi.

– Ce serait avec plaisir. Je suis de ceux qui croient qu'en effet un peu d'américanité dans notre écriture journalistique nous ferait le plus grand bien.

– C'est en plein çâ que je voulais dire.

N'importe quoi... Mais bon. Rendez-vous fut pris.

A son hôtel, Gabriel quitta son jean noir et son tee-shirt, se doucha, perdit un sanglant combat contre son rasoir et enfila ce qui lui semblait être la tenue idoine : un pantalon de toile beige, une veste à petits carreaux marron sur une chemise bleu marine. Va savoir où il avait trouvé tout ça.

La gérante balayait le trottoir. Au pied des marches, elle fit au Poulpe un brin de conversation.

– Vous êtes bien chanceux. Depuis que vous êtes arrivé, il fait beau. Comme on dit : vous avez apporté le soleil dans vos bagages. On va pas se plaindre, hein?

Sa gentillesse caramélisée collait aux doigts. La dame devait bien avoir soixante ans mais Gabriel n'eut pas l'impression de parler à une adulte. Il abrégea, trop brutalement peut-être, car la gérante tira un rideau de rides sur son large sourire.

En marchant, le Poulpe vérifia son faux passeport et sa carte de presse bidon, document bien inutile dans un pays où aucun bout de papier ne sert à garantir la qualité professionnelle de son titulaire.

– Tu commences à devenir lassant avec tes cartes de presse, lui avait reproché Pedro. Tu ne pourrais pas trouver un meilleur truc que ces fausses identités pour polars de merde ? Il y a toujours un journaliste dans tes petites histoires.

– C'est la loi du genre.

– Peut-être, mais bientôt tu vas te mettre à raconter tes exploits à la première personne du singulier. « Les affaires n'allaient pas très fort. Le téléphone était muet comme une carpe depuis des semaines. On frappa à la porte. La silhouette qui se dessinait en ombre chinoise sur la vitre n'était certainement pas celle d'un huissier. Je lui dis d'entrer. La gosse tenait dans ses mains un petit clébard ridicule. Elle était belle comme le jour et possédait, d'après ce que je pouvais en juger, des jambes magnifiques. Monsieur Lecouvreur, m'a-t-elle dit, j'ai peur et j'ai besoin de vous… »

– Pas mal comme début. Un peu convenu, mais pas mal.

– Tu sais ce que tu devrais faire, Gabriel ? Te reconvertir dans le journalisme et demander une vraie carte. Ils en fabriquent de très jolies maintenant, plastifiées et tout, format carte de crédit. Ce n'est pas un hasard parce que, dans ce métier, on accumule beaucoup de dettes. Comme ça tu pourrais avoir un HLM de la ville de Paris, tutoyer Karl Zéro toi aussi, bouffer à l'Elysée. Tu côtoierais le grand monde.

Les halètements mécaniques de la vieille presse venaient prêter main forte aux ronds rugissements du Catalan. On se marrait bien mais n'empêche : Pedro était vraiment en rogne. Durant la nuit, on lui avait volé du matos, des bombes de peinture. Les morveux s'étaient sentis obligés de foutre un peu le bordel dans l'atelier.

– Des petits cons mieux sapés que moi qui rêvent de rouler en Porsche, qui se la jouent rebelles parce qu'ils taguent leur pseudo sur des murs aveugles. Peuvent pas écrire J'encule les bourgeois, J'emmerde le pape, Mort aux cons! je sais pas moi. Ce que je sais c'est que c'est eux qui vont se faire enculer au final, le survête Adidas aux chevilles. Seront même pas foutus de savoir par qui et pourquoi, petits cons.

Pedro vieillissait. Il ne comprenait plus. Chaque jour, un petit Franco gagnait une nouvelle guerre. Sa révolte était orpheline, veuve et sans petits-enfants.

– Sigues prudent, fill meu, murmura-t-il quand la porte de l'atelier se referma derrière Gabriel. Il tombait des cordes sur Maisons-Alfort.

* * *

Le Poulpe aurait reconnu de La Marre même s'il ne l'avait pas trouvé fièrement appuyé contre sa voiture peinte aux couleurs criardes du *Montréal Matin*. La cinquantaine passée, engoncé dans un complet un peu étroit en mauvais coton, l'homme était chauve, rond et court sur pattes. Ses oreilles, transparentes, parcourues de petites veines rouges, évoquaient les lampes Tifanny d'un club anglais. Ne touchez à rien, il est parfait, pensa Gabriel.

De La Marre avait à l'évidence une très flatteuse opinion de lui-même. Après tout, parti de rien, il s'était fait tout seul, et qu'il se soit raté ne changeait rien à l'affaire. Ah! c'était la grande époque, celle de ses débuts en province. Les radios avaient de l'argent dans ce temps-là. Rêveur, de La Marre se revoyait traversant la ville «la pédale au plancher», au volant de son puissant mobile de reportage, ses gyrophares peignant la nuit de leurs faisceaux orangés, devançant policiers et pompiers au-dessus des cadavres encore chauds ou au pied des immeubles en flammes. Le bonheur. Le capitaine, le lieutenant, le sergent, les simples flics, tout le monde l'appelait par son prénom, on l'avait même fait pompier honoraire, la consécration. Etranglé par l'émotion, il avait pleuré pendant la petite cérémonie.

A l'antenne, il devançait toujours tous ses concurrents. Il avait plus d'un tour dans son sac, c'est vrai. Pour les procès, par exemple, il avait préparé quelques reportages types, il ne lui restait plus qu'à combler les cases vides avec l'identité de l'accusé et la sentence, sans oublier bien sûr le nom du procureur (de la Couronne) et des enquêteurs dont la perspicacité avait permis de résoudre cette sombre affaire « dans des délais qui faisaient honneur à la justice ». Avec lui, il arrivait parfois qu'un homme ait la « tête décapitée » dans un accident de la route ou qu'un autre soit tué « à coups de jarnac dans le dos au cours d'une rixe sanglante » ; les voleurs prenaient toujours « la fuite à pied après avoir commis leur larcin en emportant le contenu du tiroir-caisse évalué à plusieurs milliers de dollars » ; les suspects étaient immanquablement des « individus connus des milieux policiers » ; lorsqu'ils n'étaient pas « de race noire » ou « d'origine étrangère », les bandits devenaient des « apaches » et signaient des aveux complets auxquels ils ne pouvaient se dérober de toute façon puisqu'ils avaient été dénoncés par des voisins.

« Chacun gagnerait à prendre exemple sur cette

manifestation de civisme devenue trop rare dans notre société que d'aucuns s'accordent à dire malade. Ici Jacques de La Marre, depuis l'unité mobile de CKLN-Radio. »

De La Marre s'appelait en fait Lamarre mais il avait modifié son nom, le plus légalement du monde, pour y ajouter une particule particulièrement incongrue en terre d'Amérique. Toute la profession en rigolait encore. On s'était moins marré le jour où il avait renversé une fillette en jouant *Bullit* dans les rues en pentes de Sherbrooke. Couvert par ses copains flics, il vécut quelques années de purgatoire à Rimouski puis fut promu reporter vedette à Montréal. De là, il était passé au *Montréal Matin*. Savoir écrire ne figurait pas parmi les conditions d'embauche.

– Pour rien te cacher, j'ai définitivement écarté l'hypothèse d'un meurtre anti-gros, expliquait de La Marre. Ça se serait pas passé comme ça. D'après moi, c'est une erreur sur la personne, c'est clair. Le tueur s'est trompé. Le gros s'est trouvé au mauvais endroit au mauvais moment. Ou ben, c'était un vieux règlement de comptes. Une chose est sûre : personne sait rien. Même mes indicateurs ont rien à dire. Ça fait qu'à moins d'une grosse luck, c'est mort et enterré.

– Tu sembles bien sûr de toi.

– Le flair, mon petit jeune, pis des bons contacts dans la police et dans l'milieu. Qu'est-ce que tu veux : l'expérience ça s'achète pas, fit-il en lissant sur son crâne sa seule mèche de cheveux.

Le Poulpe écoutait admiratif : tant d'assurance le laissait rêveur. Lui doutait de tout, tout le temps.

Sauf du parti qu'il avait pris. Mais son isolement, les affaires sordides, les hôtels minables, le cafard chronique, la mort autour de lui, et Cheryl qui tôt ou tard finirait bien par en avoir ras son joli cul, tout ça lui pesait. Au fond, Gabriel ne se faisait pas plus d'illusions que Nicolas Bouvier sur la finalité de son inexistence agitée.

« On ne voyage pas pour se garnir d'exotisme et d'anecdotes comme un sapin de Noël, mais pour que la route vous plume, vous rince, vous essore, vous rende comme ces serviettes élimées par les lessives qu'on vous tend avec un éclat de savon dans les bordels. On s'en va loin des alibis ou des malédictions natales et, dans chaque ballot crasseux coltiné dans ses salles d'attente archibondées, sur de petits quais de gare atterrants de chaleur et de misère, ce qu'on voit passer, c'est son propre cercueil. »

Combien de fois Gabriel avait-il regardé passer le sien ?

D'un coup de reins, de La Marre quitta son appui automobile et se dirigea vers l'immeuble où travailla le gros Paul pendant les dix dernières années de vie. Haut de dix étages, le building se tenait à la frontière du Vieux Montréal, rue de la Gauchetière, un peu à l'écart des tours neuves du centre-ville, comme un enfant fragile rejeté par ses camarades masturbateurs déjà au fait des secrets de la procréation.

– Il était quoi au juste ? Concierge ?

– Homme de ménage, préposé à l'entretien, il nettoyait les planchers, il faisait les petites réparations, la plomberie. C'était pas un concierge comme on en voit dans les vieux films français. Y restait pas là pis y surveillait personne.

Cette race maudite, il est vrai, n'avait pas essaimé en Amérique. Le Poulpe n'allait pas s'en plaindre, même s'il lui arrivait parfois de se demander, lorsque lui revenait en mémoire l'odeur de la soupe dans la loge fleurie de madame Rose, si sans concierge la ville valait la peine d'être vécue. La réponse ne tardait jamais à venir : jamais Gabriel n'aurait supporté la prolifération de ces rats délateurs, auxiliaires de police misérables tout juste bons à empêcher les enfants qui s'aiment de se fourrer les doigts partout contre les portes de la nuit. Les serenos de Franco, qui possédaient les clefs de toutes les habitations, n'auraient pas davantage trouvé grâce à ses yeux. Il fallait être Céline pour souffrir de la disparition de ces raclures. A New York, la vieille ordure avait vécu leur absence comme un toxico en manque de haine. C'était dans *Le Voyage* : *« Une ville sans concierges ça n'a pas d'histoire, pas de goût, c'est insipide telle une soupe sans poivre ni sel, c'est une ratatouille informe. »* Montréal était dépourvu de ce piment vital, bien mesquin et vivant, irréfutable. Et c'était pas plus mal.

Son dernier concierge, Gabriel l'avait croisé chez son pote Duval-Hérault, qui l'avait hébergé avant son départ de Paris. En fait, monsieur Ducollet n'était pas du tout le gardien de l'immeuble, seulement le fils des anciens concierges. Sa vie durant on l'avait préparé au jour béni où il prendrait la relève, mais jamais à l'horizon ce moment tant espéré n'avait pointé son nez couperosé. Les regroupements d'immeubles, la création des sociétés d'entretien ménager, les digicodes, les interphones, et, parlons franchement, ces salauds de Portugais qui volent le pain des Français étaient venus contrarier à tout jamais l'accomplissement de son noble destin. Ducollet en ressentit une sorte d'amertume et aujourd'hui encore, bien qu'ayant passé l'âge de la retraite, il continuait à s'étioler dans le petit appartement où l'avait relogé le syndic, en pensant, tel un Orléanais gâteux, à la charge héréditaire dont il avait été spolié. Parfois, lorsqu'il quittait son loyer de 48 enfumé pour aller promener son chien obèse ou sa femme alcoolique, armé du regard soupçonneux propre aux gens de sa condition, il lui arrivait de péter les plombs. Alors, dans cet escalier ciré où naguère se trouvait en tout temps la concierge consciencieuse, il engueulait un de «ses» locataires au sujet d'une fête trop bruyante ou d'un bout de papier jeté dans l'entrée. «Un peu de civisme, de grâce, un peu de civisme!» Tel un combattant japonais ignorant la fin des hostilités, Ducollet surveillait en permanence les allées et venues de chacun, en s'attardant particulièrement, avec un souci du point de détail tout à fait exemplaire, aux activités suspectes du comédien du troisième, surnommé «le révolutionnaire» alors qu'il jouait les seconds rôles dans des débilités boulevardières. «Mais ne cherchez pas à m'embrouiller : tout ça, de toute façon, c'est la faute aux enjuivés de tout poil, aux nègres et aux Arabes.» Dans ses bons jours, l'ex-futur concierge se laissait aller à rêver qu'une bonne guerre viendrait nous nettoyer la France de toute cette engeance. Enfin il pourrait donner sa pleine mesure et dénoncer des Juifs. Comme papa. Ses parents, prévoyants, lui avaient même laissé des modèles de lettres anonymes, pour la kommandantur.

– Mais pourquoi ça t'intéresse tant ? demanda de La Marre pendant que Gabriel inspectait le local où Paul officiait de son vivant. J'te dis qu'y a rien là.

– Au contraire, répliqua Gabriel. Une erreur sur la personne, une vie de misère et sans histoires qui se termine bêtement au coin de la rue, c'est aussi un bon sujet.

– Justement, c'est pas bon pantoute[1]. Vous autres, les Français, vous êtes capables de remplir douze pages avec rien. C'est écrit comme dans des livres mais y a pas de nouvelles là-d'dans. Vous parlez pour rien dire. C'est ça votre problème.

La pièce sentait le renfermé. Gabriel poussa le gros téléphone noir et se posa sur le bureau en fer placé contre la paroi, près de la porte. Les murs étaient presque nus : un calendrier avec un paysage des Rocheuses canadiennes, un article jauni sur les Caribous et leur nouveau coach, un coupon de réduction pour du poulet rôti livré à domicile. Quelques Post-it jaunes et roses rappelaient les tâches urgentes : «checker le chauffe-eau de monsieur Gagnon», «réparer les toilettes de madame Kleinman», «faire vérifier le câble au troisième». Des bidons de produits nettoyants étaient bien rangés sur des étagères métalliques, au-dessus d'un coffre à outils et d'une pile de vieux magazines télé. Il y avait aussi : du matos de plomberie, un vieux siphon, un seau à roulettes équipé d'une essoreuse à manivelle, des

1 - Pas du tout

chiffons en vrac, des balais de toutes sortes et pour tous les usages. Rien d'autre.

– Il n'avait pas de vêtements ? Aucun effet personnel, des documents ? demanda Gabriel au gérant de l'immeuble, qui dans le couloir faisait tinter à s'en péter la Rolex son gros trousseau de clefs.

– …

– Oh ? fit le Poulpe.

Le gérant apparut. Couvert de poils et de chaînes en or, il causait québécois avec un fort accent anglais.

– No, Pauwle, il avait rien pantoute icitte. Just, two or three bébelles[1], you know… Some books, une photo de lui main dans la main avec une belle grande fille… Il l'a emmenée icitte une fois… Un moyen pétard… C'était équipé pour veiller tard, ça, monsieur… J'peux te dzire queu'que chose : t'es mieux de tomber là-dessus que su'le chômage. J'y aurais pâs faite mal, moé, à c'te tite fille-lâ, si 'était v'nu me voir, un samedi soir où qu'y aurait pas eu de hockey… J'me demande ben quessé-qu'a faisait avec c'teu gwros-lâ…

Gabriel l'interrompit.

– Quoi d'autres ?

– Y avait aussi une 'tite tivi noir et blanc, une 'tite radio-cassette pis une sorte de jacket qu'y mettait pour faire le ménage. C'était grand comme un parachute. Mais la police a toute apporté çâ au poste. Y sont allés woir dans sa maison aussi, I guess. Moi en tout cas, j'les ai pas r'vus. Anyway, j'ai ben assez de problèmes de même.

1 - Des bricoles

Le Poulpe quitta l'immeuble en se demandant qui pouvait bien être cette superbe fille.

– Il est parti par là, repris de La Marre, en s'installant au volant. Ensuite, il est passé par ici, on a des témoignages d'enfants qui lui ont crié des noms. Après, il a peut-êt' pris l'autobus ou un taxi. C'est pas si loin qu'çâ, tu vas voir, mais à pied, surtout pour un gros, ça fait une crisse de trotte.

La voiture ralentit.

– On sait qu'y s'est arrêté dans cette taverne.

De La Marre fit demi-tour et arrêta la voiture quelques dizaines de mètres plus loin.

– Puis il s'est faite tirer ici, deux heures plus tard.

Les deux hommes fixaient le sol à l'endroit où le cœur fatigué du gros Paul avait cessé de battre.

– On n'a pas su ce qu'il avait fait entre les deux. Y'â peut-être jusse traîné dans le coin.

Pendant deux heures ? Sûrement pas, supposa Gabriel en regardant les immeubles autour de lui. Des rideaux bougeaient aux fenêtres. Ici, la disparition de l'industrie lourde avait fait des ravages. Les chantiers maritimes, les ateliers ferroviaires, les usines de chaussures et de textile, tout était parti en couilles en une vingtaine d'années. Aujourd'hui, le chômage était le bien le plus communément partagé. Heureusement, Dieu le père, le mec méga-sympa – généreux et tout – avait donné aux habitants du quartier une espérance de vie plus courte, pour qu'ils s'ennuient moins longtemps que les riches de Westmount. Dix ans de moins. Ça compte quand même.

Dans l'absolu toutefois, le quartier n'était pas

misérable : pas de mendiants ou de dealers au coin de la rue, pas de carcasses de voitures désossées et abandonnées, pas de taudis éventrés ou murés, mais on devinait, au haut des escaliers extérieurs en fer noir, la pauvreté, l'oisiveté contrainte, l'ennui, la télé avilissante ouverte jour et nuit sur les rêves des autres.

«*Pas de misère voyante,* comme disait Bouvier, *mais un océan de petites gens vivant juste au-dessus, dans le besoin, dans une respectabilité râpée et chagrine qui ne les poussait guère à militer.*»

Une jeune femme, les bras chargés de sacs d'épicerie, ralentit à leur hauteur. Gabriel la regarda passer, elle détourna la tête, monta chez elle, se retourna une dernière fois avant de disparaître.

Photo.

Par sa fenêtre, elle vit les deux hommes se séparer.

– On se rappelle, dit le Poulpe. Je vais me balader un peu dans le coin.

– C'est pas mal moins beau que Paris, répondit l'autre en lui faisant un clin d'œil complice. Mais au moins, y a pas d'enseignes en anglais, comme chez vous. Nous autres, on défend le français. C'est pas comme vous autres, avec vos parkings, votre footing, vos challenges et vos pin's. Ce qui me fait le plus mourir, c'est chez McDonald, quand vous disez McNugget au lieu de McCroquettes et Royal Cheese à la place de Quart de livre fromage. Vous êtes tellement américanisés! Heureusement qu'on est là, je te jure.

***

Ce liquide jaune plus pisseux que mousseux ne méritait pas le nom de bière. Sa fadeur insultante était telle que les buveurs devaient depuis toujours y ajouter du sel pour lui redonner, une fois ses grosses bulles évanouies, un vague pétillement. Contrarié, Gabriel posa son bock sur une table et fit une partie de billard en solitaire pour pouvoir observer la rue par la vitrine percée dans la partie haute du mur de manière à protéger les hommes des tavernes des regards indiscrets, celui de leurs femelles, entre autres, auxquelles les lieux étaient autrefois interdits.

Sonia sortit de chez elle vers dix-neuf heures, chercha un moment des clés dans un petit sac à dos puis descendit l'escalier en sautillant. Gabriel s'engouffra derrière elle dans le métro Frontenac. Ils en ressortirent, elle devant, lui derrière, à Berri, firent quelques centaines de pas rue Sainte-Catherine. Les formes aux néons d'une femme nue clignotaient au-dessus de la porte qu'emprunta Sonia. Le Poulpe nota le nom de l'endroit, le Désaxé, et s'éloigna. Dans une brasserie choisie au hasard il arrosa une entrecôte-frites médium-saignante d'une décevante blanche de l'Islet. Une Canonnière, une remarquable double-bock brune aux reflets rougeâtres, sauva l'honneur de la maison. Elle tirait à 7,6 °, le Poulpe était sur le cul.

Il était minuit lorsqu'il entra enfin au Désaxé, un peu ivre. Beaucoup d'hommes, quelques femmes : le bar était plein à craquer de mateurs mous. Gabriel glissa un billet de cinq dollars dans la main d'étrangleur hindou du portier-videur. Le bouncer, ravi d'être tombé sur un cave mais tout de même reconnaissant, lui donna une place aux pieds de la scène. Montée sur une espèce de petit podium, la jeune femme qu'il avait filée dansait à une table à un autre bout de la salle devant un party de bureau. A une autre danseuse-serveuse, le Poulpe commanda une bière, n'importe laquelle. Il eut droit à une O'Keefe, une ale commune qu'il oublia sur-le-champ.

« Et revoici la chareu-mante Soniââââ. »

Sonia entra en scène dans un joli ensemble culotte-soutien-gorge en dentelle ocre. A la deuxième chanson, elle retira le haut, à la troisième le bas sans en faire tout un plat, puis déroula un petit tapis aux motifs persans sur lequel elle se livra, au son de *You Are so Beautiful* de Joe Cocker, à d'élégantes contorsions de gymnaste.

La classe.

Personne ne semblait vraiment s'amuser. Les danseuses devaient affronter une forte concurrence : en différents endroits, des moniteurs vidéo détaillaient les efforts simultanément déployés par un chauve balaise et un frisé gringalet pour faire jouir une dame siliconée et probablement simulatrice. La scène de double pénétration (figure classique) distillait un ennui fort peu érogène. Le Poulpe, le tentacule triste, bandouilla à peine. Le couple de lesbiennes – fantasme occidental banal et récurrent – dont on annonça l'imminente entrée en scène ne l'émut pas davantage.

– Veux-tu autre chose ?

Gabriel fut pris de court par l'arrivée de Sonia. Il bredouilla.

– J'aimerais vous parler.

– OK mais dehors, à la fermeture. J'finis à trois heures.

Les derniers clients quittaient le bar quand le Poulpe vint se poster sur le trottoir d'en face. En la voyant sortir, candidement, il s'approcha de Sonia. Roger le videur fit barrage.

– C'est lui ?

Elle hocha la tête.

– OK man, laisse-la tranquille. Dégage. Décrisse.

– Non, vous ne comprenez pas, improvisa le Poulpe, je suis français et j'organise des spectacles et je voulais bavarder avec cette jeune femme. Mademoiselle, je trouve que vous dansez merveilleusement bien et…

Gabriel posa sa main sur l'avant-bras du portier physionomiste, qui vécut la chose, va savoir pourquoi, comme une agression.

Oups…

Le poing de Roger s'enfonça dans le ventre du Poulpe, son genou lui remonta méchamment les couilles. Gabriel cracha quelques bouts de tripes et battit en retraite, plié en deux.

* * *

Le Poulpe se réveille avec la migraine et de violentes nausées. Pas terrible, l'image que lui renvoie la glace.

– Ben alors, mon grand, ce n'est pas la grande forme ce matin. T'es con aussi, aller affronter un type comme ça sans préparation. Il faut éviter les bagarres de rue. Mais il ne faut pas non plus baisser sa garde. « Toujours prêt », c'est le geste qui sauve, surtout quand on se pointe avec un scénario aussi foireux. Organisateur de spectacles ! T'aurais pu lui proposer de faire des photos de mode aussi. Alors maintenant, tu répètes après moi : « Je me tiens toujours prêt, je ne baisse jamais ma garde. »

– Je me tiens toujours prêt, je ne baisse jamais ma garde.

– Dis-moi, mon poulpinet, tu ne serais pas en train de péter les plombs, des fois ?

Le carrelage de la salle de bains est froid sous ses pieds.

Ses cafards lui manquent.

8

Mardi 3 juin

Le Poulpe grimpa l'escalier d'un pas léger. Dans sa main gauche, un bouquet de fleurs jaunes, dans sa droite ses testicules, peu disposés à être secoués de la sorte quelques heures seulement après avoir frôlé l'ectopie permanente. Cette fois, Gabriel comptait, pour approcher la belle, jouer la sincérité, c'est-à-dire trouver un mensonge plus crédible que son histoire à la mords-moi-le-nœud de découvreur de nouveaux talents.

La galerie donnait sur trois portes, l'une d'elles était mal refermée. Il ne sonna pas. Toujours prêt, se répéta Gabriel tel un fringant boy-scout. La porte s'ouvrit sur un autre escalier, intérieur celui-là, menant directement à l'appartement du deuxième étage. Le Poulpe fit une pause et tendit l'oreille : une voix d'homme lui parvint à laquelle répondait faiblement une voix féminine. L'escalier débouchait sur un couloir beige, à un clou pendaient deux vieux chaussons de danse. Au fond à droite se trouvait la cuisine dans laquelle le Poulpe, en tentant de ne pas faire craquer le parquet, jeta prudemment un œil. Sonia, le regard mouillé par l'effroi, était assise sur une chaise près de la table, un silencieux vissé dans l'oreille gauche. Elle avait toujours su qu'un jour un truc tordu lui arriverait. Forcément. Un moment de distraction. Avec tous ces cinglés qui courent les rues. «Tu le savais que ça t'arriverait un jour», se reprochait-elle pour tenter d'oublier ce putain de flingue. La sonnerie de la porte l'avait tirée du lit à l'heure du déjeuner. Elle avait ouvert à l'homme sans réfléchir. Il était entré en marmonnant «Police, je crois savoir que vous connaissiez Paul Gélinas tué la semaine dernière». Comme au cinéma, elle avait demandé de voir à plaque, il lui avait mis une claque. Puis une autre. L'homme était osseux, ses traits haineux, une cicatrice pliait sa lèvre, son œil droit envoyait généreusement chier l'autre.

– Qu'essé-qu'y t'a raconté le gros? Y t'a-tsu donné queu'que chose? On sait que tu le connaissais, les voisines, ça jase. Et puis un gros plein de marde de même avec une belle p'tite pitoune comme toi, ça passe pas inaperçu. Ça fait que niaise pas et dis-moi toute ce que j'veux savoir.

Toujours être prêt.

– Bonjour ma chérie, c'est moi. Et regarde, je t'ai apporté de jolies fleurs, lance le Poulpe avec entrain en entrant dans la cuisine, embusqué derrière son bouquet.

L'homme pivote brusquement, le canon de son arme renifle le visage de l'importun, lui arrache un petit cri de chochotte apeurée.

– Mais qui êtes-vous, que faites vous ici? Ma petite chérie, tu n'as rien? Ne nous faites pas de mal. Pas à ma petite chérie, pas à mon petit canard adoré, mon petit beignet sucré. Prenez tout notre argent mais de grâce et pour l'amour du ciel ne nous faites pas de mal.

Un sourire de mépris (pfff, un Français...) fissure le visage de Bec-de-lièvre.

– Tenez, elles sont pour vous.

L'homme (les gens quand même) veut saisir les fleurs, Gabriel lui colle un coup à décorner un bœuf, un gros. L'homme plie les genoux, offre son entrejambe au Poulpe soudainement saisi par l'irrépressible besoin de faire partager sa douleur de la veille à quelqu'un. Tiens homme, mon ami, mon frère, prends ça dans les valseuses, tu sauras ce que j'ai ressenti, et forts de cette souffrance commune nous contribuerons à créer un monde meilleur. Un second coup de pied, en pleine tronche celui-là, interrompt la plainte de l'homme, et lui fait joyeusement éclater le pif, du sang gicle sur la nuisette jaune de la jeune femme.

– Il a peut-être des petits copains, on a intérêt à se casser. Allez on s'arrache, suggéra le Poulpe en attrapant Sonia par le poignet.

– Mets-en, répondit-elle.

«Un peu mon neveu», traduisit simultanément Gabriel pour lui-même. Elle prit dans l'entrée son sac et des sandales de cuir plates et se retrouva dans la rue en chemise de nuit, entraînée par un grand type aux bras étrangement longs dont elle ne savait pas encore qu'ils lui avaient valu son surnom.

– Vous avez une voiture ?

– Non.

Un taxi s'arrêta immédiatement, conduit par un Haïtien souriant. Aucun chien n'occupait la place du mort et la radio ne débitait pas de débilités, aucune voiture pleine à craquer de tueurs armés de fusils-mitrailleurs ne les avait pris en chasse. Le Poulpe se détendit.

Sonia parla la première.

– Vous êtes qui, vous ?

– Je m'appelle Gabriel mais mes amis m'appellent le Poulpe.

– Comme une pieuvre ?

– En quelque sorte.

– Je vous ai vu l'autre jour avec le gars du *Montréal Matin*. Je le connais de vue, il vient au bar des fois. On dirait une manipulation génétique ratée. Et en plus, il se pense drôle. Vous devriez surveiller vos fréquentations, ça vous éviterait des petits bobos.

– Fréquentations, comme vous y allez. Je ne l'avais jamais vu avant ce jour et, de toute façon, je ne...

– Attends, attends, laisse-moi deviner, dit-elle en passant au tutoiement. T'es français, ça fait que tu sais pas te mêler de tes affaires. Tu veux quoi au juste ?

– Je pratique une espèce de tourisme. Certains aiment les vieilles pierres, moi ce sont les coups tordus. Généralement je fais dans la France profonde. Cette fois, j'ai eu envie de voir mes cousins d'Amérique. Les grands espaces, les Indiens, la cabane au Canada, tout le bordel... Sais-tu seulement combien de Français viennent au Québec chaque année ?

– Trop ! Vous devriez vous contenter d'exporter vos fromages. Y puent mais ils écœurent personne.

Le Poulpe apprécia son sang-froid. La situation la dépassait mais elle s'efforçait maintenant de n'en rien laisser paraître.

– Je suis là pour Paul, fit enfin Gabriel.

– Tu le connaissais ?

– Non, mais toi oui. Je veux savoir qui l'a buté et pourquoi.

– J'aimerais bien comprendre, dit-elle après un long silence.

– Qui était ce type ?

– J'sais pas. Mais c'est lui qui a tué Paul, je suis sûre de ça. Je comprends rien dans cette affaire-là. Paul a jamais rien fait de croche. Et moi non plus. Je danse de temps en temps au Désaxé pour payer mon loyer et mes petites dépenses. Pas de prostitution, pas de trafic de dope, je veux juste être tranquille.

– C'est raté, Sonia.

– Niaise-moi pas, le Poulpe, je m'appelle Elisabeth.

* * *

– Parfois je lui disais « je t'aime gros ». Ça le faisait rire.

Elisabeth ne demandait qu'à parler, le Poulpe qu'à l'écouter. La peur avait quitté son regard et cédé la place à une infinie tristesse. Ils étaient attablés dans un restaurant d'Outremont. Un thé pour elle, une bière pour lui, une Père-Ambroise à la framboise bien rouge.

Le taxi avait roulé sur Sherbrooke jusqu'à la rue Jeanne-Mance, contourné le mont Royal. Rue Laurier, à Outremont, elle avait attendu dans la voiture tandis qu'il achetait dans un Kookaï une jupe en jean et un tee-shirt saumon sous lequels pointèrent sans retenue ses jolis seins. Aller à la police avait été exclu.

– Je peux pas les sentir, avait dit Elisabeth.

Outremont offrait au Poulpe un changement de décor radical. Les rues rectilignes étaient bordées d'élégantes maisons de briques rouges qu'ombrageaient d'amples érables de Norvège, les squares étaient verts, les gens blancs, à la décontraction étudiée. «Je ne comprends pas pourquoi les pauvres s'entêtent à vivre dans des endroits laids plutôt que dans de jolis quartiers comme celui-ci», dit le Poulpe. C'était sa blague la plus éculée, elle ne fit rire personne.

Outremont est le foyer de l'élite de langue française : ici vivent les artistes, les intellectuels, les ministres et, dans un monde parallèle, des juifs hassidiques roulant dans d'immenses voitures bondées d'enfants pâles. Le tueur, trop occupé à se foutre des gouttes dans le nez, ne penserait sûrement pas à venir les chercher dans cet îlot de calme bourgeois. Mais bon, on ne sait jamais. Aussi jugea-t-on plus sage d'éviter la terrasse malgré le soleil qui continuait de chauffer la ville.

– Vous vous connaissiez depuis longtemps ?

– Un peu plus d'un an.

– Vous vous êtes rencontrés comment, dans un bar?

– Non.

Non, ils s'étaient rencontrés à Montréal l'été précédent. Il était assis sur un banc du parc Lafontaine, devant l'étang, et regardait passer les gens. Elle s'était installée à côté de lui. Elle essayait toujours de se poser près des types qui n'avaient pas l'air trop achalants, question de flair, elle ne s'était pratiquement jamais trompée. Il lui avait souri poliment puis avait regardé ailleurs, elle avait écouté sur son Walkman Sting, Clapton ou un machin de la même eau.

Ils se sont croisés de nouveau quelques jours plus tard, même endroit, autre banc. C'était en juillet, une canicule comme Montréal en a le secret étuvait la ville. Un peu abattu, mesurant ses gestes, Paul la fit penser à un chien de traîneau ou à un ours polaire perdu en plein désert. Elle s'est assise à ses côtés. Il a seulement dit : «Pas de musique aujourd'hui?» «Non, a-t-elle répondu, je n'ai plus de piles.»

– Il s'est levé en mimant un homme pressé. Il est réapparu quelques minutes plus tard en disant il en faut quatre non? Il m'a tendu un paquet de batteries. «Allez-y, allez-y.» J'ai écouté ma musique. C'était pas grave. On est restés comme ça, lui regardant devant lui, moi avec mes écouteurs sur les oreilles. Raconter comme ça, ç'a l'air de rien. Mais c'est tellement rare de pouvoir se taire. Le monde veut toujours parler. Pour émettre des sons, pour faire du bruit, parce qu'ils ont peur. J'ai pas grand-chose à dire moi non plus mais au moins je ferme me gueule.

Ensuite, ils se sont revus, sont devenus amis, se

sont raconté leurs vies. Il venait d'une petite ville industrielle appelée Shawinigan, elle d'un village d'une région voisine. Elisabeth ne voyait plus ses parents. Paul n'avait plus de famille.

– J'vois pas beaucoup de monde. Je l'voyais lui. On jouait à la Belle et la Bête. J'aimais voir les têtes des gars quand on marchait ensemble dans la rue. Parfois je lui faisais des choses, parce qu'il faut bien que ça sorte, même chez les gros, même chez les laids. J'aimais sa patience, il dégageait de la lenteur, du calme, mais parfois il était tellement triste, ça me fendait le cœur. Pour le reste, rien à dire. C'était la belle histoire d'une topless ordinaire avec un gros gârs ordinaire.

– Il vivait ça comment?

– Y'a toute une partie de sa vie que je connaissais pas. Y voulait pas parler de ça. Mais certains jours, je le sentais tellement fatigué. Tôt ou tard, il se serait suicidé. Pour lui, c'était trop lourd à porter.

– Son corps?

– Non, la vie. C'est pas qu'y se trouvait trop gros ou pas assez beau, je veux dire ça l'dérangeait pas tant que ça dans le fond. Le problème, c'était l'monde autour de lui. Y se sentait coincé, toute pogné en dedans. Y trouvait que le monde était lourd, pas lui. Y disait que la vie, dans le fond, c'était quelque chose de dégradant. Dégradant, il avait dit ça de même : ça m'avait marquée.

– T'avais noté un changement de comportement chez lui récemment?

– Tu parles comme les enquêteurs dans les films. Avait-il des ennemis, des dettes de jeu?

– Sérieusement.

– Il y a quinze jours, un mois, j'sais p'us, il m'a promis de me faire changer de vie. J'ai pas posé de questions. C'est des affaires qu'on dit juste de même, rien que pour parler. J'y ai répondu que j'aimais ma vie comme elle est. Pas de boss, du temps libre, un appartement qui est pas un château mais qui est cool, qui était cool en tout cas. Un peu de hash, des CD. Et lui qui venait me voir des fois. J'avais tout ce qui me fallait.

– C'est quand même pas terrible comme engagement, jugea le Poulpe, étonné lui-même par l'ampleur de sa connerie.

– Écoute bien, Gabriel, mon engagement, c'est d'rester en vie, d'exister, mais pas trop, pis d'écœurer personne. C'est ben assez, je trouve.

– Paul n'était pas d'accord ?

– Y m'a juste promis que je pourrais faire la même chose sans danser.

* * *

– Un peu bordélique ton copain.

Le Poulpe ne fut pas surpris de trouver l'appartement de Paul dans cet état. Une boîte de pizza livrée à domicile bâillait près de l'évier de la cuisine, comme un bouquin décevant. Les portes des armoires et les tiroirs étaient ouverts, le lino était couvert d'éclats de verre, de bouffe, de sauce tomate. Le salon avait à peu près la même tronche. Le canapé avait été renversé, le magnétoscope copulait avec l'écran du téléviseur, quelques cassettes vidéo et des livres jonchaient le sol. Le Poulpe en prit un au hasard : *La Ligne de force*, de Pierre Herbart. Il le glissa dans sa poche, pour plus tard.

– Il lisait beaucoup. Moi, j'aime pas tellement ça. Il aurait voulu que je lise plus; il a jamais pu me convaincre.

Dans la chambre, les tiroirs de la commode et le placard avaient été vidés de leur contenu, le matelas nu gisait près du lit.

L'hypothèse de l'erreur sur la personne avait déjà du plomb dans l'aile depuis la visite chez Elisabeth du grand teigneux. Désormais, elle ne tenait plus. Le scénario semblait banal. Au programme : chantage et meurtre. Paul savait ou possédait une chose plus importante qu'une vie humaine aux yeux de ceux qui la convoitaient. Quoi que cela fût, ce n'était sûrement plus ici.

Paul habitait lui aussi dans le quartier centre-sud. Elisabeth guida le Poulpe. Ils traversèrent le village gay, puis elle lui montra des rues grises, des vitrines de magasins condamnées, des boutiques de meubles usagés. Ici, le tirage du Loto est souvent le seul espoir d'une vie meilleure.

– Paul disait qu'il faudrait qu'un jour ça pète bien fort. Mais j'y crois pas trop. C'est pour ça que j'ai jamais eu envie de m'en mêler, dit Elisabeth.

– Moi, je n'y crois pas du tout. C'est pour ça que je m'en mêle.

* * *

GRACE A UNE VICTOIRE
EN PROLONGATION
LES CARIBOUS PRENNENT
L'AVANCE DANS LA SERIE

LOS ANGELES – Les Caribous de Montréal ont

remporté le troisième match de la série finale de la Coupe Stanley au terme d'un affrontement qu'on aurait dit écrit par un scénariste hollywoodien.

Les Montréalais menaient 3 à 0 après deux périodes de jeu, mais les Queens, revenant de l'arrière, ont comblé leur déficit et forcé une prolongation. Pierre Tellier a scellé l'issue du match en inscrivant le quatrième but de son équipe dès la 34e seconde de la période supplémentaire. Profitant d'une mêlée devant le filet, Tellier n'a eu qu'à loger la rondelle dans le filet béant que lui offrait le gardien des Queens, Robert Duhamel, étendu de tout son long sur la patinoire...

9

Mercredi 4 juin

Marron. L'appartement est marron. Les meubles, la moquette, le lino, la cuisinière, le frigo : marron, tout est marron. Sauf les murs. Les murs sont beiges et sales.

Par atavisme paysan, les Québécois ont fait de leurs cuisines un lieu central de leur vie sociale. Dans un coin de celle-là, trône un lazy boy couvert d'un tissu synthétique, des housses crochetées jaunes, rouges et bleues recouvrent les accoudoirs. Un porte-journaux de style rustico-pionnier-country régurgite à sa droite un trop-plein de magazines télé et de journaux locaux. Le fauteuil, passif, regarde un téléviseur massif lourdement calé dans un gros buffet en simili-noyer. Dans une niche vitrée, une vierge en plâtre. Les tremblements d'une fausse bougie électrique font vaciller son ombre. Il y a des armoires au-dessus de l'évier. En zinc, l'évier est en zinc. Une table aux pattes recourbées et chromées entourée de quatre chaises en Skaï (marron) occupe le centre de la pièce. Les mains larges et fripées du vieux reposent à plat sur la table, de part et d'autre d'une assiette contenant les restes d'un sandwich tomates-bacon-mayonnaise au pain brun. Dans un verre à moutarde, un Coke finissant pétille mollement. Il est quatre heures et demie, disent les aiguilles de l'horloge à gros chiffres clouée au mur.

– J'ai toujours soupé de bonne heure, explique l'homme. Ça fait quinze ans que ma femme est morte. Puis, quand on mange tout seul, on a pas beaucoup d'appétit.

L'homme a bien soixante-quinze ans, il est un peu décharné, sa peau fine, froissée, colle aux os de sa face, son gros nez est couvert de points noirs, on dirait du pain au pavot. Sur son corps, on entr'aperçoit ci et là les vestiges d'une grande force physique.

Alors qu'est-ce qu'on fait ? se demande le Poulpe.

* * *

Gabriel était arrivé à Shawinigan la veille. Avec Elisabeth, ils avaient décidé d'aller voir ailleurs si les secrets de Paul y étaient. Le Poulpe s'était installé au volant de la voiture de location, une américaine banale avec boîtier de vitesses automatique, puis ils avaient roulé, silencieux, sur l'autoroute 40, laissant derrière eux Montréal et ses banlieues résidentielles piquées de piscines bleues. Triste mais un peu plus détendue, Elisabeth avait extrait de son sac quelques cassettes, en avait glissé une dans le lecteur de la voiture. Céline Dion s'était mise à énumérer tout ce qu'elle était disposée à faire pour qu'on l'aime encore.

Soupirs du Poulpe.

– Tu la connais ?

– Tu sais, à moins d'avoir passé les dernières années dans un monastère ou sur la planète Mars, impossible d'y échapper.

– Je gage que tu l'aimes pas…

– Je connais un salon de coiffure à Paris où on n'écoute que ça à longueur de journée. Sincèrement, elle aurait plutôt tendance à me casser les burnes. Avec ça surtout.

Céline Dion chantait maintenant la bande originale de *Titanic*.

– Mais attends ! Elle est connue dans le monde entier, elle a vendu je ne sais plus combien de dizaines de millions de disques, elle gagne 60 millions de dollars par année. Tu peux pas décider comme ça que c'est mauvais.

– Je vais me gêner. On vend des milliards de Big Mac, ça ne vaut pas dire que c'est de la grande cuisine. Là, en l'occurrence, c'est de la soupe.

– T'es raide.

– Pardon ?

– J'veux dire : T'exagères.

– Écoute, il y a quand même des choses plus graves que mon appréciation de l'œuvre de Céline Dion… Je m'en bats les couilles, moi, de Céline Dion. D'ailleurs, je ne sais même pas pourquoi on parle de Céline Dion…

– Je te donne juste un conseil, en tout cas, Gabriel Lacouvreur : Répète pas ça trop fort si tu veux pas te faire massacrer. On n'a pas le droit de dire des affaires de même, même en joke, même dans un roman. Ici Céline Dion, c'est une déesse, c'est sacré. Touches-y pas. Sinon tu vas passer pour un Français chialeux[1] qui aime rien.

– Un maudit Français…

– C'est ça.

– Si tu le dis…

– Tiens écoute ça, c'est plus ton genre…

Annoncée par quelques notes de piano, une voix d'homme venue de nulle part, ample et nasillarde, avec un accent bizarre qui mordait les voyelles, avait rempli la voiture.

Va-t'en pas
Dehors le chemins sont coulants
Les serments de rosée.
Va-t'en pas
Dehors y a des silences bondés
D'autobus tombés
Sur le dos

– C'est qui ?

– Richard Desjardins

Gabriel n'avait plus ouvert la bouche. Il se repassait les chansons en boucle, demandait parfois à Elisabeth de préciser une prononciation, de traduire un mot, une expression.

T'es tell'ment tell'ment tell'ment belle
Un paquebot géant

1 – Un sale râleur.

Dans' chambre à coucher
Je suis l'océan
Qui veut toucher ton pied

Près d'eux, le fleuve s'élargissait, formait un lac immense.

Desjardins chantait toujours lorsqu'ils entrèrent dans Shawinigan.

Tu montes les escaliers
Mon cœur veut exploser
Imagine-toi quand tu montes sur moi

A quand remontait-il, le dernier coup de foudre du Poulpe ? Depuis pas mal de temps maintenant, il n'écoutait plus que les classiques, Brassens d'abord, des heures durant, Brel aussi mais pour ses quelques chefs-d'œuvre : *La ville s'endormait*, *Les Désespérés* et *Le Soir d'été*, avec ses nappes qui tombent en miettes par-dessus les balcons. C'étaient bien plus que des chansons, c'étaient des tableaux en mouvement ; derrière les mots, on entendait le chuintement du pinceau sur la toile. Du reste, à quelques exceptions près, il avait plus ou moins fini par se lasser. Ferré ? Parfois. Rarement. Pour les coups de gueule anar, il préférait encore aller s'asseoir avec Pedro.

* * *

Une lumière crue maintenait le centre-ville de Shawinigan dans une immobilité minérale, plaquait au sol des silhouettes métalliques. La 5ème rue, pourtant bordée de commerces sur toute sa longueur, était déserte. Le soleil cuisait la tôle des voitures et des pick-up. Un père et son gamin commandaient des frites à une des roulottes à patates garées en permanence à chaque extrémité de la rue. Gastronomie locale. Le Poulpe avait failli se laisser tenter par un Michigan, long pain hot-dog fendu par le milieu et grillé, contenant du chou râpé, deux saucisses nappées d'une sauce tomate légèrement piquante et couvertes d'un lit de frites. Il opta finalement pour le hot-dog classique.

– Steamé ou toasté ?

Elisabeth répondit pour lui. Ils mangèrent à une table à pique-nique, au milieu d'un petit espace vert aménagé entre deux petits immeubles sur un terrain libéré par un mystérieux incendie. La crise économique émet des gaz hautement inflammables : la ville s'en était retrouvée tout édentée. Les assurances avaient casqué.

– Il y a longtemps que je n'avais pas aussi bien mangé.

– Tu te moques de moi, pouffa Elisabeth.

Pourtant c'était vrai : les hot-dogs étaient très bons. Si, si, je t'assure ! Les frites aussi d'ailleurs. Le Poulpe regretta seulement que nul liquide mousseux et ambré ne les accompagnât, tiens par exemple une Maudite (une maudzite...), une ale forte et épicée, beaucoup plus intéressante que ne le laissait supposer son étiquette. C'était d'ailleurs le seul reproche qu'il pouvait faire aux microbrasseries québécoises : leurs étiquettes étaient souvent d'une laideur affligeante.

Elisabeth et Gabriel remontèrent la 5ème rue à pied. Ni l'un ni l'autre ne savait ce qu'ils cherchaient ici. Ils entrèrent chez Tremblay, par hasard, en pensant que les habitants de la ville s'y étaient peut-être terrés. Depuis trois générations, les Tremblay vendaient des cigarettes, des cigares, des pipes, des briquets, des journaux, des magazines, des best-sellers, des cartes de vœux, des jouets. On y mangeait aussi, ou on y prenait son café en bavardant, en commérant, pour chasser les temps morts, comme les vaches éloignent les mouches avec leur queue, par réflexe et sans penser à mal.

– Les Caribous ont encore gagné à San Francisco. Ça fait combien dans la série? demanda un vieux

– Deux à un, répondit un autre sans lever les yeux de son journal.

– Encore deux victoires, et c'est la Coupe Stanley. J'gage qu'y vont gagner çâ en cinq.

– C'est çâ.

– Quand tu penses que, l'an passé, ils avaient même pas été capab' de faire les playoffs.

– ...

– Le gars à Gélinas, on sait-tu qui c'est qui l'a tué finalement?

– Non

Le Poulpe et Elisabeth tendirent l'oreille.

– Y a rien de neuf, c'est çâ?

– C'est çâ.

– Rien?

– C'est çâ.

– Ça doit être dur pour le bonhomme, quand même...

– A qui c'est qu'tu veux faire croire çâ, bon yeu? Yé même pas allé à Montréal pour identifier le corps.

– Ça faisait un bon boutte qu'y l'avait pas vu.

– Quand même, bout de ciarge ! c'était son fils.

Elisabeth et Gabriel échangèrent un regard étonné.

– Je croyais qu'il avait perdu ses parents, murmura le Poulpe.

– C'est lui qui m'avait dit ça. J'comprends pas.

La jeune femme se retourna vers les vieux.

– Excusez-moi, j'ai entendu votre conversation. J'étais une amie de Paul et je me demandais : monsieur Gélinas, est-ce qu'il habite toujours au même endroit, sur la rue... comment déjà ?

– Toujours su'a rue Champlain, ma petite mademoiselle, y'a pas bougé de d'lâ depuis cinquante ans.

La présence d'esprit d'Elisabeth leur avait facilité le travail. Dans le Bottin se trouvaient une quarantaine de Gélinas, un seul dans la rue Champlain. Le Poulpe, les mains derrière le dos, contemplait les cheminées géantes de l'usine d'aluminium quand l'homme répondit aux coups sur sa porte. Elisabeth avait seulement dit « J'étais une amie de votre fils ». Il les avait fait entrer sans rien demander, comme s'il attendait une visite, celle-là ou une autre, depuis des siècles.

* * *

Le vieux posa son assiette sale dans le fond de l'évier, fit gicler sur elle un peu d'eau froide et alla s'asseoir dans son fauteuil.

– La police de Montréal m'a appelé pour me dire qu'y était mort. Je pensais que quelqu'un viendrait me poser des questions, personne est venu pis c'est tant mieux.

Il fit une longue pause.

– Ma femme a eu beaucoup de peine quand il est parti, Paul. C'était un bon petit gârs même s'il aimait un peu trop aller traîner dehors à mon goût. Mais y faut ce qu'y faut. Ma femme aimait pas trop ça. J'y disais : tu le couves trop, laisse-lé vivre. Il passait beaucoup de temps à l'arena aussi. Il allait voir les pratiques de hockey l'après-midi, après l'école. J'ai un peu joué professionnel dans le temps, juste quelques games. J'étais pas un scoreur naturel, rien qu'un bon plombier. C'était pas assez. Je connaissais un peu le coach de l'équipe. J'y avais demandé de donner à Paul quelque chose à faire de temps en temps, comme ça, pour l'occuper. Les fins de semaine, il aidait dans la chambre des joueurs, y s'occupait de l'équipement des gars, les bâtons, les pucks… En échange, y pouvait voir les games gratis.

– Tout allait bien, résuma Elisabeth.

– Quand y a eu onze ou douze ans, y est devenu difficile d'un coup. Il était dissipé, nerveux. Y sursautait quand on lui parlait, y pleurait pour rien, il avait des mauvaises notes à l'école, y voulait plus sortir. Y mangeait tout le temps. Il avait déjà des gros problèmes de ce côté-là. Mais là, ça devenait grave. Y disait qu'y avait peur des terrorisses.

– Des terroristes ? s'étonna Gabriel, qui jusque-là n'avait rien dit.

– Oui c'était en 1970, le Front de libération du Québec posait des bombes à Montréal. Puis y a eu la Crise d'octobre. Le FLQ a enlevé un diplomate britannique et tué un ministre. Paul était trop impressionnable.

– Vous avez consulté un spécialiste ?

– Tu sais ma grande, à l'époque les psychologues, on croyait pas trop trop à ça. Pis j'y crois pas plus aujourd'hui. Toutes des charlatans. Ma femme était très croyante et en a parlé au curé et au frère-directeur de l'école Saint-Marc à côté. Elle existe plus aujourd'hui, l'école Saint-Marc, on l'a rasée pour construire des HLM pour les vieux. On a quand même fini par voir un spécialiste. Paul a raconté des histoires sans queue ni tête sur des terrorisses qui allaient venir le chercher pour le tuer. Le docteur a dit que c'était la mort de ses parents qui ressortait. Y parlait de traumatisme, de son subconscient qui se réveillait, des patentes de même, ça devenait ben trop compliqué pour ma petite tête, ça fait qu'on l'a envoyé chez ma sœur à Québec. On allait le voir les fins de semaine de temps en temps. Il continuait à engraisser, à grossir. A dix-huit ans, y est parti sans dire bonjour à personne. On l'a jamais r'vu. Il m'appelait parfois, de Montréal je pense, pour dire qu'y était correc' pis demander des nouvelles de ma femme. Je disais : Veux-tu y parler ? Non, non, dis-y jusse bonjour pour moi. Quand 'est morte, y a arrêté d'appeler.

L'homme se tut.

– Ils sont morts comment ses parents ?

– Un accident d'auto. Mon frère a essayé de dépasser dans la Côte cachée, en dehors de la ville. Le camion transportait des rouleaux de papier. C'était dangereux ce coin-là, on voyait pas ce qui s'en venait dans le virage, tout le monde savait ça. Mais Pierre, y pensait pas à ça lui, ces affaires-là. Pourtant, lui, y'avait un vrai talent. Il aurait pu faire une maudite belle carrière. Y'avait marié une

Aglaise de l'Ontario, une belle blonde qui se prenait pour Marilyn Monroe. Madame s'attendait à vivre comme une princesse à Montréal, Boston ou New York avec sa star du hockey. Les choses se passent jamais comme on veut. Mon frère a pas été recruté, pas assez costaud. A l'époque, ça comptait. Il y avait rien que six clubs dans la Ligue nationale. Y prenaient que des géants. Y se sont mis à boire tous les deux, elle chialait tout le temps après lui, y se chicanaient. Elle est devenue laide. Paul avait quatre ans quand y se sont tués. Ma femme pouvait pas avoir d'enfant. On s'était fait à l'idée. Puis Paul est arrivé. Il a pleuré pendant plus d'un an, du matin au soir, du soir au matin. On a fait de notre mieux. Mais on n'a pas trop chicané non plus quand ma sœur a voulu le prendre avec elle. Puis Québec, c'est une belle ville.

Il tenait peut-être à cela, le lien intime qui s'était noué entre le gros Paul et le grand Poulpe. Gabriel avait pratiquement le même âge à la mort de ses parents. Le conducteur de l'autre voiture n'avait pas vu venir la leur. Bourré comme il était, il aurait eu du mal. Gabriel avait pleuré pendant des mois, lui aussi, sans arrêt. En tendant en vain ses bras vers le vide. Ils étaient encore courts à l'époque.

Le vieillard s'était tu. Il repensait à tout ça : ses quelques matches passés à réchauffer le banc des Rangers de New York, ses quarante années au moulin à papier, sa vieillesse grise dans ce trou marron. Il avait fait sa petite affaire sans déranger personne et en tirait une grande fierté. Sa vie avait coulé de lui régulièrement, à l'image de ce vomi vert que l'usine continuait de cracher dans les eaux de la rivière. Sa femme était morte d'ennui. Et le fils qu'il n'avait pas eu avait été tué de trois balles dans le ventre.

– Dites-moi donc, osa-t-il enfin d'une voix défaite, qu'est-ce qu'y a faite pendant toutes ces années, Paul ?

* * *

Clins d'œil à l'appui, Julien Doucet lui proposa d'entrée de jeu de lui vendre un scapulaire, un gri-gri catholique dont on a aujourd'hui oublié jusqu'à l'existence.

– Allez, je vais vous faire un bon prix. Je les fabrique moi-même.

L'offre ne manqua pas d'étonner le Poulpe : au téléphone, Doucet lui avait semblé parfaitement normal. Lard ou cochon ? Gabriel (on n'est jamais trop prudent) refusa poliment.

– Non merci, j'essaie d'arrêter.

Des éclats de rire gourmands, des cheveux blonds en ordre de bataille dispersée et une carrure agricole donnaient à la cinquantaine du journaliste une solidité terrienne. Le Poulpe et lui s'entendirent tout de suite. Contrairement à la plupart de ses collègues, Doucet n'avait pas érigé le cynisme en vertu professionnelle. Il était donc demeuré localier toute sa vie, content de vivre au milieu de ses lecteurs et non au-dessus. Faire carrière exigeait des trésors d'assurance, de bêtise et d'ignorance qu'il ne possédait pas. Ou peut-être était-il simplement paresseux.

– Pour l'ignorance, ça va encore. Mais je me soigne. Avec les deux ou trois livres que j'ai lus, j'ai déjà trop de culture pour la télé et la radio. Encore un petit effort et pas un seul journal ne voudra de moi. En fait, il n'y a plus qu'à la presse financière que je ne pourrai jamais échapper.

– Pourquoi ça ?

– J'ai été militant maoïste dans ma jeunesse. Tu connais le slogan : Devenez gestionnaire de choc, adhérez au parti communiste !

Son humour lucide et déroutant mettait mal à l'aise ses interlocuteurs locaux, le ministre, les députés, le maire et surtout les flics ; tout le monde, à commencer par ses chefs, ne l'appréciait pas.

– Ma femme de ménage est en vacances, plaida-t-il en faisant entrer le Poulpe dans son bureau, où régnait un bordel sans nom. Au fait, excusez-moi, j'ai oublié le vôtre.

Le Poulpe n'éprouva pas le besoin de lui mentir.

– Je m'appelle Gabriel Lecouvreur. On a tué un homme à Montréal. Paul Gélinas…

– Oui, drôle d'histoire. Un obèse que personne ne connaissait…

– Son cas m'intéresse.

Julien ne lui demanda pas en quoi.

– Vous saviez qu'il était d'ici ?

– Oui, son père était un peu connu dans le temps parce qu'il avait un peu joué au hockey chez les professionnels. Mais lui a quitté la ville quand il était tout jeune.

– Justement, je voudrais savoir pourquoi il est parti. Tout allait à peu près bien puis du jour au lendemain, crac ! il a basculé. Il voyait des terroristes partout. Elle a été si terrible, votre « crise d'octobre » ?

– Ça dépend avec quoi on compare. La prison à vie ici est sûrement plus douce qu'un an dans les geôles marocaines. En 1970, le Québec a vécu quelques semaines sous la loi martiale. La police a arrêté sans mandat quelques centaines de personnes, des intellectuels, des artistes, des poètes, des syndicalistes. Ils ont passé quelques jours en prison. En fait de répression, ce n'était pas le Printemps de Prague, ni le Chili (on n'avait pas encore de stade), ni la Pologne de Jaruzelski, ni la Birmanie, ni le Togo. Mais le Québec est une société pacifique. Et, il y a trente ans, la télévision n'avait pas encore banalisé tout ça. On croyait que les bombes et l'armée dans les rues, ça n'arrivait que dans les vieux pays. On a très mal vécu la chose. Un jour en prison pour un innocent, c'est un jour de trop. Et un mort, c'est toujours un mort de trop, même si nous savons tous maintenant que l'Homme (et sa fiancée) peuvent faire beaucoup mieux.

Le journaliste guida le Poulpe aux archives.

– Tu pourrais trouver tout ça sur ordinateur, en faisant une recherche par thème. Mais c'est moins drôle. Rien ne vaut les vieux journaux pour comprendre les choses. L'air du temps, même révolu, fleure bon l'encre et le papier. C'est comme le dictionnaire : on cherche le sens d'un mot, on en trouve un autre, on y entre avec une varicelle, on en sort avec une varicocelle. Tiens, 1970, c'est là. Tu peux t'asseoir ici. Amuse-toi. Je suis dans mon bureau.

* * *

Le Québec se déniaisait. Sur les photos, les hommes portaient des cheveux longs, des pattes ou des barbes, des vestons à carreaux étroits et cintrés sur des pulls à col roulé en polyester ou des chemises à larges pointes.

Le grand chic.

Les coiffures laquées des femmes faisaient peur.

Les cheveux des filles tombaient sur leur visage.

On ne voyait que leur nez.

Les conflits sociaux, les grèves souvent très dures et une guérilla urbaine inspirée des luttes anticapitalistes, anti-impérialistes et anticoloniales (beau programme) dominaient l'actualité. Spectatrice terrorisée, la province suivait de loin, en se rongeant les ongles, le grand drame qui se jouait à Montréal. Dans le scénario, Shawinigan avait tout de même eu droit à deux scènes :

Un jour, trois étudiants, masqués et armés de faux revolvers, enlevèrent un de leurs petits camarades de classe, en l'occurrence le fils unique du maire, et le transbahutèrent dans un coffre de voiture jusqu'au cimetière, où ils le ligotèrent, en slip, à une pierre tombale. Grelottant, mort de trouille, le jeune homme ne parvint pas à saisir toute la finesse de l'acte d'accusation pourtant très marrant (crime de masturbation aggravée, penchants petit-bourgeois pour la pornographie, pollutions nocturnes, acné antiprolétarienne...) déclamé par un des ses ravisseurs. Il se mit à geindre puis à hurler comme un petit cochon qu'on encule lorsque tomba sa condamnation à mort. Pan ! hurlèrent ses bourreaux. « On t'a bien eu, on t'a bien eu ! » Il avait chié sous lui. Choc nerveux. Les psychiatres mirent plusieurs jours à l'extraire de son état de prostration.

Son enlèvement et la balle qu'on lui logea dans

la nuque ne firent pas rigoler non plus Pierre Duchesne. Représentant d'un syndicat militant, la Confédération nationale des travailleurs et travailleuses, Duchesne avait été kidnappé en plein jour dans le parking de l'usine de la Shawinigan Chemicals. On retrouva son corps le lendemain dans la cour encombrée d'un ferrailleur.

«Duchesne était connu de la GRC pour ses liens avec le FLQ. Il ne fait pas de doute aux yeux des enquêteurs que le syndicaliste, partisan de la négociation avec le gouvernement fédéral pour sortir de la crise, a été victime d'un règlement de comptes entre cellules felquistes rivales, ce qui tend à montrer que "la panique gagne les terroristes", déclare un porte-parole de la GRC. Tard hier soir, un groupe inconnu a revendiqué "l'exécution du traître Duchesne" dans un communiqué transmis à notre rédaction et signé FLQ-cellule Falardeau. "Un tribunal révolutionnaire a jugé que Duchesne s'était rendu coupable de haute trahison en se liant au grand capital et aux représentants de l'ordre impérialiste. Il a été condamné à mort. Justice a été rendue. Nous vaincrons." Selon la police, l'authenticité de ce communiqué ne fait aucun doute.»

Les débuts de saison absolument extraordinaires de l'équipe de hockey locale, les Pionniers, s'étalaient aussi à la une du *Nouvelliste*. Partis de la cave du classement l'année précédente, les Pionniers en occupaient maintenant le premier rang et rien ne semblait pouvoir compromettre leur marche victorieuse vers le championnat junior et des lendemains qui chantent «On a gagné, on a gagné, on a gagné!» Les amateurs de hockey devaient ce retournement à un étonnant jeune homme : Mike Grenier, trente ans aux fraises, nouvel entraîneur de l'équipe et fort justement élu Personnalité du mois par le canard local. Arrivé pour l'ouverture du camp d'entraînement des Pionniers en août, Grenier, partisan avoué de l'ordre et de l'autorité, avait fait des miracles, transformant, comme au cinoche, une bande de nuls en une armée surentraînée et motivée.

« J'ai toujours été proche des milieux du hockey, mais c'est à l'École de police que j'ai tout appris. Un policier qui veut faire cavalier seul est un policier mort. Il faut que chacun puisse compter sur l'autre. Ne parle-t-on pas d'un corps policier ? Le hockey, c'est pareil. Les joueurs doivent faire corps contre l'adversaire. On ne pratique pas un sport pour les honneurs, mais pour ce qu'il rapporte au niveau du mental. Le hockey forge des esprits droits, fiers et solides. Il n'y a pas de place dans une équipe pour les faibles, les mous ou les pervers. Un fruit pourri finit par faire pourrir tout le panier. Le plus important, dans un monde qui a perdu le sens des vraies valeurs, c'est la discipline. »

Aïe, aïe, aïe ! Pour chasser ces vilaines images, le Poulpe entreprit de lire les aventures de Mandrake et du Fantôme publiées en comic strips à la fin de chaque numéro, mais il désespéra d'en connaître un jour l'issue. Il rangea à leur place les lourdes reliures.

* * *

Gabriel fit mine de frapper à la porte.

– Alors, monsieur Lecouvreur, on a trouvé ce qu'on cherchait ?

– Dis donc, en 70, ce n'était pas tous les jours dimanche.

– Ça c'est sûr. Mais on s'amusait bien aussi. Pense seulement que le gouvernement fédéral a décrété la loi des mesures de guerre en évoquant la menace d'une insurrection appréhendée. Il fallait le faire. On en rit encore. A Ottawa, ils étaient devenus fous. Le gouvernement affirmait que le FLQ disposait d'une armée de plusieurs dizaines de milliers d'hommes entraînés par les Cubains. Ils étaient trente à tout casser. La police voyait des communistes partout. Ici, ils sont allés jusqu'à arrêter un peintre parce qu'il possédait un livre sur le cubisme. «Chef! chef! J'ai trouvé un livre sur Cuba caché au milieu des livres de peinture...» C'est-tu assez drôle?

Le Poulpe se bidonna franchement.

– Toi, je suis sûr que t'aimes la bière, devina le journaliste. Viens, je t'invite à 'a maison.

Le vent du soir chiffonnait la surface de la rivière, le soleil n'allait pas tarder à se barrer. Ils étaient assis sur une balançoire et buvaient une Brassart, une surprenante lager de type Octoberfest, pleine et veloutée, longue en bouche, et qui jouait intelligemment, par-delà une odeur de caramel, sur des notes sucrées et salées.

– Et vos services secrets, ils n'avaient rien vu venir?

– Tu veux rire. La gendarmerie royale était dans le coup depuis le début. Les gars signaient de faux communiqués à la place des terroristes, cambriolaient les locaux du Parti québécois pour piquer la listes de ses membres. C'est sûr, y savaient pas tout, mais y-z-en savaient beaucoup. Ils ont laissé faire pour pouvoir taper dans le tas plus fort après et discréditer à jamais les indépendantistes du Parti québécois, qui eux jouaient le jeu démocratique.

– Les barbouzeries classiques en somme.

– Plus classiques que ça, ça se peut quasiment pas.

* * *

Elle dormait déjà lorsqu'il vint se glisser dans le lit. Dehors, deux voyageurs de commerce profitaient de la douceur de la nuit. Ils parlaient de hockey, une canette de bière à la main, l'un d'eux avait sorti une chaise de sa chambre, l'autre était assis sur le capot de sa voiture.

La veille, en arrivant, après le dîner, Gabriel et Elisabeth avaient longuement fait l'amour, elle en s'agrippant comme une noyée à ses longs bras. Le motel Fleur-de-Lys était très laid, les rideaux étaient verts et violets, la peau d'Elisabeth était chaude.

Tant que les architectes ne tenteront pas de dessiner des corps humains, il restera ici-bas quelques îlots maladroits et fragiles de beauté pure.

La beauté ne survit que là où les tyrans ignorent son existence.

Prudemment, Gabriel ramena le drap sur les reins d'Elisabeth.

* * *

Dans le Walkman, Richard Desjardins chantait :
Ton dos parfait comme un désert
Quand la tempête
A passé sur nos corps

Un grain de beauté où je m'en vas boire
Moi j'reste là les yeux rouverts
Sur un mystère
Pendant que toi, tu dors.

10

La ville était laide. Comme peut l'être un notable de province désargenté agonisant, gris et décharné, dans une ruine démeublée. Il respire fort et on ne sait pas si c'est son souffle qu'il cherche ou le parfum vaguement écœurant de sa grandeur décomposée. Mais elle était belle aussi, belle et pathétique, comme toujours le sont les songes exsangues et les rêves crevés.

En France, en Angleterre, en Amérique, partout, les villes industrielles racontent la même histoire. Parfois le récit varie un peu, la fin jamais : ils vécurent heureux un temps puis eurent beaucoup de petits chômeurs. Il était une fois donc une rivière et des chutes plus puissantes que celles du Niagara. Le site était d'une indicible beauté. Un banquier de Boston en le découvrant à la fin du siècle dernier imagina une centrale électrique, une ville moderne, bien planifiée, avec des usines, des travailleurs, des familles nombreuses, des écoles, des jardins, des parcs. Au pied des chutes, la rivière Saint-Maurice dessine une large baie. Un château de briques, construit dans l'esprit de la Renaissance italienne, s'y mouille les pieds. Le soir, ses hautes fenêtres illuminées se reflètent dans l'eau. On dirait une salle de bal.

– C'est quoi ?

– Une ancienne centrale électrique, je pense.

Les usines avaient de la gueule à l'époque. Jamais les possédants n'auraient eu le mauvais goût de s'afficher devant un de ces lamentables cubes colorés qui semblent aujourd'hui avoir été jetés en vrac aux abords des villes par un géant débile.

Tout avait commencé ici. En quelques années, Shawinigan Falls, comme on l'appelait encore, allait devenir un des principaux centres industriels d'Amérique du Nord, le symbole de l'essor économique du Québec moderne. Le moulin à papier avalait les billes de bois, les *pitounes*, entraînées par le courant depuis les chantiers forestiers situés plus au nord, les cheminées d'usines faisaient concurrence aux clochers, les curés jouaient à guichets fermés, il y avait du travail pour tous. Les patrons de langue anglaise vivaient dans de petits manoirs dans des rues feuillues. Les *bosses* hurlaient leurs ordres en anglais. Les travailleurs « spécialisés » logeaient dans de solides immeubles, aux galeries et aux balcons de bois, dans le bas-de-la-ville, près de la rivière, longée par une élégante promenade bordée de maisons bourgeoises. Les autres, de condition plus modeste, habitaient dans le haut-de-la-ville, au milieu des usines. Les plus pauvres se repliaient dans les faubourgs, à l'ombre du moulin à papier, ou près des *tracks* de chemin de fer, au pied de l'usine de carbure.

Les Anglais et les Français vivaient dans des espaces parallèles. Minoritaires, les anglophones possédaient les usines, leurs rues, leur club, leur golf, leur curling, leurs écoles et même une auberge de villégiature, en bardeaux de bois et faux colombages, plantée au sommet de la colline qui domine la ville. Elle a cramé il y a quelques années. Elle aussi. Un hospice privé, pour les vieux, s'élève aujourd'hui à cet endroit.

– Saisissant raccourci historique, ironisa le Poulpe.

Shawinigan a vécu. La pétrochimie a remplacé l'électrochimie, l'électricité a été été nationalisée, les lignes haute-tension se sont développées, les compagnies ont déménagé, les jeunes sont partis, l'avenir est mort, on a fait porter le chapeau aux syndicats.

En regardant la ville à ses pieds, le Poulpe songea à ceux qui trouvèrent ici un peu de bonheur et de sécurité. Il imagina des bandes d'enfants s'égaillant dans des rues animées, il vit le gros Paul un peu à la traîne, essoufflé. Une fois, une seule, Paul avait consenti à faire visiter son enfance à Elisabeth. Dans son quartier, il n'avait pas voulu descendre de voiture. Lui qui ne parlait jamais de ces choses avait raconté les autobus « comme à Montréal », le grincement des poulies des cordes à linge, les remises de tôle rouillée, les bagarres d'ivrognes à la sortie du bar le Flamingo, les mères sur les galeries qui appelaient leurs enfants. « Madeleine, Alain, venez souper ! »

La pollution n'existait pas, il y avait beaucoup d'arbres, les bébés dormaient dans leurs carrosses devant les magasins pendant que leurs mères, confiantes, faisaient les commissions. Le laitier trouvait chaque matin de la monnaie dans les bouteilles de lait vides déposées devant les portes, hiver comme été le boulanger livrait le pain à domicile. La nuit, la torchère de l'usine de carbure incendiait le ciel.

– Longtemps j'ai cru qu'il était bleu le jour et orange la nuit, avait dit Paul.

Les vieilles usines abandonnées ont aujourd'hui été rasées. Pour la première fois, du haut de la ville, on peut voir le Saint-Maurice et son autre rive. La rivière a été libérée de ses estacades, une tour panoramique et un musée se dressent près des chutes. Reconversion touristique. Contre une promesse de vie nouvelle, Shawinigan, habillée de neuf, remaquillée, pimpante, offre à qui les veut sa rivière et ses souvenirs.

Les souvenirs.

– J'en ai trop, disait Paul. Trop de souvenirs, précis, dérisoires et inutiles.

– Tiens, lis-ça, lui aurait répondu le Poulpe.

« Si à tous ceux qui vieillissent on interdisait cette petite phrase "Vous souvenez-vous ?", il n'y aurait plus de conversation du tout : nous pourrions tous, et tout de suite, nous trancher paisiblement la gorge » Nicolas Bouvier.

– Oui mais moi, c'est même pas des vrais souvenirs. C'est rien que des anecdotes, des interférences, des taches de sauce dans ma tête.

– Tu te souviens de quoi au juste ? lui aurait demandé le Poulpe.

– Les essuie-glaces de la Chevrolet de mon père. Ils se rejoignaient au centre du pare-brise en faisant tic-tac. Comme un métronome.

– Et encore ?

– Je me souviens de la première blague que j'ai comprise. C'est l'histoire d'un gars qui sait pas où dormir. Il fait froid, la nuit tombe. Il trouve une statue de Napoléon et lui coupe un bras. Ça lui fait un Bonaparte manchot.

– Quoi d'autre ?

– Je me souviens du goût des retailles d'hosties qu'on achetait chez les Servantes de Jésus-Marie. Je me souviens qu'à l'église les cheveux des vieux puaient, que leurs manteaux humides en hiver sentaient le chien mouillé. Je me souviens de l'incendie de l'église et de la cloche fêlée, coincée comme l'aile luisante d'un grillon au milieu des cendres couvertes de glace. C'était le 13 février 1965.

– L'année de la mort de mes parents.

– Je me souviens des premiers épisodes en couleur de *Ma sorcière bien-aimée*. Je me souviens du goût de l'Aspirine pour enfants, d'un voyage en autobus à l'Expo 67, à Montréal. Je me souviens quand on jouait dans la neige. Je me souviens du temps où il y avait deux patinoires dans la cour de l'école, qu'arrosaient les Frères la nuit venue.

– Et du grain de la peau de ta mère, de la voix de ton père, de sa barbe qui piquait ta joue, tu t'en souviens ?

– Non. Mais je n'ai pas oublié qu'il conduisait l'auto une cigarette à la main. Elle allumait une petite lueur rouge dans le noir. Mon père entrouvrait la vitre et jetait le mégot dehors. Alors une minuscule étoile filante traversait la nuit.

11

Jeudi 5 juin

A Elisabeth, Paul avait dit encore l'été, les vacances, le petit chalet loué par sa tante, ses journées passées dans l'eau du lac, otarie joueuse et bien ronde. « Sors, ou des nageoires vont te pousser sur le dos ! » L'eau lui ratatinait le bout des doigts, elle était claire, son fond sablonneux. Le bronzage semblait affermir le corps de Paul.

Paul lui avait dit aussi les pieds nus pendant le matin au bout du quai, l'odeur de l'herbe coupée, qui lui faisait encore l'effet d'un sanglot, le tour du lac à vélo, parfois des chiens les pourchassaient, lui et les gars, les *chums* de vacances, lui fondu dans la *gang*, la bande, avec son lot de fous rires, de coups pendables, de méchancetés, avec son bagage de rivalités et de concours débiles, qui le repoussaient parfois à la marge du cercle. Et les filles qu'on agaçait. Il lui avait dit la carabine à plombs, les cabanes dans les arbres, les mystères du sexe dévoilés par les plus grands, les oiseaux-mouches, les vers sous les pierres, pour la pêche, les têtards, les queues-de-poêlon, dont on suivait pendant des semaines les métamorphoses, il lui avait dit les fermes, les vaches dans les champs, les chevaux dans l'ombre des bouleaux, le village. Était-il vraiment interdit par la loi de s'y promener en maillot, torse nu ?

– A l'entendre, c'était le paradis sur terre, l'enfance comme dans les tableaux de Norman Rockwell. Quand il m'a amenée ici, j'ai dû faire une drôle de tête. Il était tout perdu, au bord de la panique. Il est sorti de la voiture pour regarder tout partout autour de lui. Je crois qu'il s'est lui-même demandé s'il avait pas rêvé tout ça. On est repartis sans même aller voir le chalet.

Revenir d'exil comporte des risques / comme planter un' aiguille dans un vieux disque, rappelait Desjardins. Le paisible chemin du bord du lac était devenu une large avenue hérissée de rues menant à des lotissements aux noms prétentieux : le Domaine du lac, la Seigneurie, les Beaux rivages... Le Lac aux carpes n'était plus qu'une marre putride, insalubre et bruyante, envahie par les algues, les Sea-Doo, les Jet-Ski et autres scooters aquatiques. Paraît que les Québécois ont inventé ces engins de merde, il faudra le rappeler à l'heure du jugement dernier.

* * *

Les lacs, les vrais, le Poulpe les vit du haut des airs. Un panneau annonçait «Tours d'avion», Gabriel n'avait pas résisté. Les flotteurs de l'hydravion avaient fendu les vagues pendant quelques secondes puis l'appareil avait décollé en lançant un rugissement aigu. Le pilote avait tout de suite mis le cap au nord. Du ciel, la forêt ressemblait à un champ après une averse, parsemée de milliers de flaques d'eau limpide.

– Tout va bien ? demanda le pilote.

Le petit Cesna 180 filait à 120 miles à l'heure.

– Combien ?

– Ça fait 200 quelques kilomètres à l'heure, hurla le pilote. C'est un bon avion. Mais ça vaut pas le Beaver. Le Beaver va pas plus vite mais il vole beaucoup mieux. Il est plus solide, plus lourd. Pis on peut mettre plus de stock dedans. Quand il est dans les airs, il est un peu pataud, on dirait qu'il avance pas, un peu comme les gros avions de transport militaires, le genre Hercule américain... Pour les longs voyages de pêche, c'est pas mal mieux.

Le Beaver, le castor... Les nationalistes espagnols avaient aussi donné un nom de rongeur au Polikarpov I-16 : ils le surnommaient Rata, le rat. Le petit chasseur soviétique, il est vrai, leur en avait fait baver. Celui que le Poulpe tentait de remonter dans le Val-d'Oise, était comme il se doit, court, trapu, tassé et rapide, deux fois plus qu'un Beaver. Pour le prouver, Gabriel n'aurait eu besoin que d'un moteur en état de marche, de deux ou trois bas morceaux plus ou moins indispensables et de son brevet de pilote. On était encore loin du compte. Longtemps encore, calé dans le cockpit de son vieux coucou de bois et de toile, le Poulpe continuera, en cachette, comme un môme, de simuler (tac-tac-tac) des combats aériens contre les franquistes. Le dernier a eu lieu au-dessus de Majorque. Les nacionales, équipés d'appareils tout neufs livrés par cet enculé de Mussolini, lui ont mis la pâtée. Longtemps encore, Raymond, le mécano de l'aérodrome de Moiselles, pourra s'amuser des efforts du Poulpe pour faire voler son «moustique», sa «ridicule mouche à merde».

Pas rancunier, Gabriel lui rapportera un petit cadeau. Sceptique, Raymond saisira la ficelle de ses doigts pleins de cambouis. A son bout pendouilleront deux énormes dés à jouer en peluche marron. Ce sera vraiment très laid.

– J'en fais quoi ? demandera le mécano.

– C'est un souvenir de Montréal. Là-bas, lui dira Gabriel, les mecs qui ont vraiment de la classe les accrochent à leur rétroviseur, dans leur bagnole. C'est un signe de reconnaissance, entre hommes de goût, un peu comme une Rolex ou une BMW, tu comprends.

Gabriel n'apportera rien d'autre, pas d'argent, pas de pièces détachées. Même pas le pommeau du manche à balai.

* * *

Elisabeth traversa un petit jardin, monta trois marches jusqu'à la galerie, colla son nez à la vitre de la porte et l'ouvrit sans frapper. Gabriel la devina à l'intérieur qui appelait : maman, maman ? Elle ne s'étaient pas vues depuis très longtemps, avait expliqué Elisabeth. Qui ne parla pas de son père.

– Il fait quoi ?

– Il est parti. Ça fait longtemps.

Un lourd silence s'installa, qu'il ne chercha pas à rompre. Le sujet était clos.

Elisabeth avait donc grandi là, dans ce petit village, à l'ombre d'une église trop grande. Elle raconta (écoute c'est trop drôle) que son arrière-arrière-grand-père avait été zouave. Zouave ! Il était parti en Europe, pour défendre le pape. Paul lui avait expliqué qu'il s'agissait de repousser l'agression des troupes de Garibaldi contre le Vatican en 1867. Environ 250 jeunes Canadiens-Français s'étaient engagés.

– Pour le remercier, le pape lui avait donné l'autorisation de manger de la viande le vendredi.

C'était même gravé sur sa tombe, au cimetière. C'est too much.

***

De Sainte-Anne-de-la-Pérade à Québec, le Poulpe avait moins d'une heure de route à faire. Méprisant l'autoroute, il suivit le Chemin du Roy, roula à travers des villages coquets et paisibles. A sa droite, des cargos remontaient le fleuve avec une lenteur pachydermique. Plusieurs fois Gabriel s'arrêta au bord de la route. Pour se remplir les yeux.

– Oui ? demanda-t-elle en entrouvrant la porte.

– Bonjour, madame, j'ai téléphoné tout à l'heure, au sujet de Paul.

La tante Réjeanne habitait dans les faubourgs ouvriers de la capitale, une petite maison en briques poreuses rouges surmontée d'un petit toit à lucarnes, au pied d'un long escalier de bois menant aux beaux quartiers. Elle fit entrer Gabriel dans un salon sombre, la télé était allumée, elle ne l'éteignit pas.

– C'est par mon frère que j'ai su que Paul était mort. Rien que le fait qu'il m'appelle, ça a manqué me tuer. On se parle plus tellement vous savez... Pour Paul, que voulez-vous, c'est bien triste, finir comme ça, après une vie pas facile, perdre ses parents si jeune, on s'en remet pas j'imagine.

– Oui j'imagine.

– Vous voulez une liqueur ?

– Non merci, mais une bière si vous en avez, je veux bien.

– Non non, j'ai pas de boisson, jusse d'la liqueur, d'la liqueur douce : du Coke et du Seven-Up.

– Merci, ça ira.

– Alors, cher monsieur, quessé-que voulez-vous que je vous dise au jusse ?

– Comment il était, Paul, quand il était petit ?

– Quand il est arrivé, au début, il était encore nerveux. Après, y s'est calmé, y'a pris de l'assurance. C'était correc'. Chez mon frère, y'était ben malheureux. Toutes ces affaires de terrorisses (des niaiseries si vous voulez mon avis) ont fini par passer. Ici de toute façon, on n'était pas trop inquiets. Le Parlement est jusse en haut mais en même temps c'est loin. Quand on est de la basse-ville, on n'est pas de la haute-ville, comme on disait dans mon temps. Mon bon gros gars avait fini par plus penser à ça. Y aimait jouer tout seul, y s'occupait, y lisait des livres, on regardait la tévé tou'é'deux. C'était correc'. Il a jamais été un fardeau pour moi. Regardez, c'est lui sur la photo derrière.

Gabriel examina le cliché. Paul devait avoir quinze ans. Il était appuyé contre la balustrade de la terrasse Dufferin, au pied du château Frontenac. Derrière lui on distinguait le fleuve et l'île d'Orléans. Ses bourrelets bouffaient les larges rayures de son polo distendu, le soleil lui fermait un œil, on sentait qu'il tenait la pose depuis un moment. « Envoèye ma tante, fais ça vite ».

– Et quand il vous a quittée, il vous a expliqué pourquoi ?

– Non mais ça c'est pas bien grave. C'était correc'. Y m'avait juste laissé un billet su'l'frigidaire pour me dire merci. Y téléphonait, pas souvent, mais quand même, c'était correc'. Des fois, y m'envoyait de l'argent. S'il était heureux de même, c'est ça qui compte.

Gabriel la regarda : elle était forte, portait une robe en coton fleuri démodée, ses chevilles étaient enflées, il y avait des pompons à ses pantoufles. Elle n'avait pas d'âge. Elle avait fait de son mieux.

C'était correc'.

* * *

Gabriel Lecouvreur contempla longuement le fleuve. Le Vieux Québec, berceau de l'Amérique du Nord, le laissa indifférent. Artificiels, inhabités, les abords de la place Royale (souvenirs ! sandwiches ! tee-shirts !) n'étaient eux aussi qu'un décor sans vie et clinquant de propreté à côté duquel la place du Tertre passait pour un monument d'authenticité.

Mais avait-on le droit de penser ça ?

– Il faudra que je demande à Elisabeth.

La joie d'être là, il l'avait ressentie dans les rues les moins fréquentées de la vieille ville, dans la cour du vieux séminaire, dans le kiosque en bois qui domine la rue des Remparts, entre les maisons ouvrières du quartier Saint-Jean-Baptiste. Il fit une sieste sur les plaines d'Abraham, au soleil.

Il était tard quand il entra aux 400 Coups. Les banquettes était inconfortables mais le choix de bières remarquable. Méthodique, le Poulpe but une Sale Gueule, puis toute la gamme des Aurores Boréales, rousse, blonde, noire et forte. Pour changer un peu, le garçon lui proposa une bière à l'érable.

– C'est étonnant vous verrez.

– Je préfère éviter les mélanges…

Le bar était enfumé, la clientèle n'était pas de la toute première fraîcheur, mais on s'y amusait ferme. Dans un coin, seule à sa table, une jeune femme noircissait de grandes feuilles de papier. Des poèmes, des lettres ? Non, sûrement un premier roman, supposa le Poulpe, un premier et dernier roman très mauvais, plein de souvenirs d'enfance et de grands sentiments, qu'elle relirait honteuse dans cinq ans.

La romancière en herbe était belle, aucun buveur n'osait l'aborder. Le Poulpe savait qu'il penserait un jour à elle comme à ces passantes chantées par Brassens. Avec une infinie mélancolie.

* * *

Il aurait eu envie de continuer sa route plus à l'est, envie de voir les baleines et les bélugas avant qu'ils ne crèvent, de suivre le fleuve jusqu'au bout, jusqu'à l'océan, de se perdre, au bout de la route, de fuir, comme Nicolas Bouvier dans *Le Poisson-Scorpion*, *« loin des alibis et des malédictions natales ». « Sans ce détachement et cette transparence, comment espérer faire voir ce qu'on a vu ? »*

Mais Gabriel n'avait encore rien vu.

* * *

LES CARIBOUS A UN MATCH DE LA COUPE STANLEY

LOS ANGELES – La Coupe Stanley est maintenant à portée de main, après la victoire des hommes de Mike Grenier par la marque de 3 à 2 hier à San Francisco.

Pour un deuxième match de suite, les Queens et les Caribous ont dû jouer les prolongations. L'issue de la quatrième partie s'est décidée à la cin-

quième minute de la période supplémentaire, grâce à un but spectaculaire du jeune Michel Arsenault, qui marquait ainsi son premier filet de la série.

« C'est le plus beau jour de ma vie, a déclaré le Trifluvien à l'issue du match. C'est une grosse victoire, mets-en ! On a gagné huit de nos quinze matches en prolongation depuis le début des séries. Je n'en reviens pas. On joue du hockey inspiré en surtemps. Mais je pensais pas que ça m'arriverait à moi de marquer un aussi gros but. »

Encore une fois, les Caribous avaient pris l'avance dans le match, marquant deux buts en vingt-trois secondes vers le début de la deuxième période. Mais loin de s'écraser, les Queens ont entrepris de bousculer leurs adversaires et ont enfilé à leur tour deux buts rapides en troisième période...

Notre photo : L'entraîneur Mike Grenier souriant après la victoire de son « équipe de choc »...

12

Vendredi 6 juin

Gabriel avait une sale gueule. A l'heure de la fermeture, le proprio des 400 Coups, un compatriote, avait verrouillé la porte mais avait continué à lui servir à boire jusqu'à l'aube. Le Poulpe avait dormi deux maigres heures dans la bagnole de location avant de reprendre la route, Desjardins dans les oreilles.

Le jour s'est levé sur Rouyn

Avec des gros rayons d'or
J'ai jasé avec mon instinct
Et j'ai couché dans mon char

Gabriel revenait bredouille. Un moment, il envisagea d'éviter Sainte-Anne-de-la-Pérade, de laisser Elisabeth en rade, chez sa mère. Par prudence. Mais l'envie de la revoir fut plus forte.

Des voitures de police barraient la rue. Le Poulpe descendit de voiture et s'approcha de la maison. Des pompiers sortaient deux sacs de plastique noir des ruines fumantes.

* * *

L'homme s'était introduit dans la maison en milieu de soirée. Elisabeth venait d'enfiler une robe de nuit de flanelle blanche, sa mère un chaud pyjama de coton d'un bleu très pâle.

– J'suis rien qu'une vieille femme frileuse.

– Niaise pas, môman, t'as même pas soixante ans.

Elles s'étaient assises à chaque extrémité du divan – comme avant –, les jambes repliées sous une couverture de laine légère. Leurs pieds nus se touchaient, le téléviseur bleuissait la pièce. Elles s'amusaient sans trop la secouer, car la colle n'était pas encore sèche, de leur complicité fraîchement réparée.

L'homme les avait forcées à descendre à la cave. Il avait commencé par battre la mère. Elisabeth, menottée à une poutrelle en fer, geignait.

– Arrête, maudit chien sale, arrête, lâche-la, laisse-la tranquille !

– T'as rien qu'à me dire ce que veux savoir, pis

mâ arrêter. Ton gros sale, y-t'a-tu laissé une lettre, ou queu'que chose que tu devais donner à la police, ou aux journalisses si y arrivait un malheur... Réponds, mon hostie de chienne!

– Mais j'sais rien. J'sais pas ce que tu veux. J'comprends rien!

Bec-de-lièvre en grimaçant avait plongé son regard dans celui d'Elisabeth. Puis ses doigts s'étaient resserrés sur le cou meurtri de sa mère. Elisabeth s'était évanouie. Elle était revenue à elle beaucoup plus tard. L'homme s'était longtemps et soigneusement acharné sur son corps. Elle était nue. Elle ne pouvait pas dire si elle avait été violée. Sans doute. Avec quoi, bon Dieu, l'avait-il frappée? Elle ne voyait plus que d'un œil, sa jambe gauche était étrangement tordue. Sa peau, lacérée à coups de cutter, se décollait par endroits. L'homme l'avait badigeonnée avec un puissant décapant. C'était bien sa chance : la mère d'Elisabeth était bricoleuse, elle aimait restaurer les vieux meubles. Le sadique s'affairait maintenant dans un coin de la cave. Un bruit d'outils. Son poing s'était refermé sur le manche d'un fer à souder. Il savait qu'il ne tirerait rien d'Elisabeth désormais. Elle souffrit jusqu'à l'aurore. Jusque dans les flammes.

13

Max. 100 / Min. 70, disaient les panneaux.

Mais tout le monde roulait à 110. Les voitures se déplaçaient exactement à la même vitesse, entraînées par un interminable tapis roulant tressé dans l'asphalte grise. Montréal n'était plus très loin. Un autre panneau annonçait une aire de repos à cinq cents mètres. Gabriel quitta l'autoroute, gara l'auto rouge près d'un poids lourd, coupa le contact. Il posa son front contre le volant et serra les yeux, pour ne pas pleurer. Rien à faire. Alors il chiala un bon coup, un filet de morve s'écoula de son nez, qu'il essuya du revers de sa manche, comme un môme de quarante ans – les pires. Une femme, passant devant sa voiture, lui offrit ce regard dégoulinant de bons sentiments et de curiosité douteuse qu'on destine généralement aux infirmes et que même les aveugles devinent et détestent.

Il était baisé. Baisé à fond. Et dans les grandes largeurs. Il ne savait rien, il ne comprenait rien, il ne possédait même pas l'ombre du commencement du bout de la queue d'une piste. Il avait tiré sur un fil en espérant que la vérité et tout le reste viendraient avec. Au bout, il n'y avait que la mort. Le Poulpe quitta la voiture, alla s'enfermer dans les WC. Le carrelage était crade, une trace de merde grasse collait à la faïence des chiottes.

Le frêle auto-stoppeur qui entra derrière lui, poussé par une furieuse envie de pisser, se prénommait Marc-André et n'aurait pas fait de mal à une mouche. Le jeune homme défit sa braguette devant un urinoir puis, un poing sur la hanche, relâcha sa vessie, après avoir incliné la tête dans un geste de pénitent pour s'assurer que tout allait bien. Il tenait sa bite entre le majeur et l'index de sa main gauche. Comme une clope. Tiens fume…

Assis sur son trône grotesque, les coudes sur les cuisses, la tête entre les mains, le Poulpe entendit du mouvement, des pas, un coup de pied dans une poubelle.

– J'ai l'impression qu'y a de la tapette dans le coin !

Gabriel se leva, jeta un coup d'œil par-dessus la porte. Ils étaient une dizaine, des jeunes à peine sortis de l'adolescence, duvet au menton, rires débiles.

– Moi, les hosties de tapettes, j'peux pas les sentir !

Le jeune homme remballa nerveusement son matos, actionna la manette chromée de la chasse d'eau et fit demi-tour. Il transpirait, des taches de trouille apparurent sur son visage. Il tenta faiblement un passage en force.

– Où-cé-qu'tu vâs de même, mon petit câlice de fifi ?

On casse du pédé partout dans le monde. Au Québec, le nombre des adeptes du gay bashing, skins en herbe ou bouseux désœuvrés, n'a cessé d'augmenter ces dernières années ; Gabriel avait lu un truc là-dessus.

Les homophobes formèrent un cercle autour de leur proie de plus en plus affolée. Le Poulpe aurait voulu éviter la baston : on perd vite une dent, un œil, une couille ou la vie dans ce genre de divertissements. Il aurait aimé avoir un flingue, pour jouer les méchants, dans une perspective purement éducative, va sans dire, pour que les petits durs chient mou dans leur froc. Pour leur apprendre.

Il sortit de son placard, en referma doucement la porte. Les jeunes ricanèrent sottement, grassement, comme si tout cela n'était qu'un jeu innocent. « Ben quoi ? On peut pu se faire du fun, tabarnac ? » Le Poulpe fit face au groupe.

– Ça va, les petits gars, on se calme. On laisse partir le jeune homme.

Celui qui semblait être le chef de la meute s'approcha de Gabriel en roulant des mécaniques, façon gangster rap, pointa vers lui – yo ! – son petit doigt et son index.

– Té-qui, toé ? Quessé-qu'tu veux ?

Fidèle à une bonne vieille habitude, Lecouvreur visa le nez. Le spectacle du mâle dominant, le rat alpha, allongé entre les pissotières, sans même avoir pu livrer bataille, tétanisa le groupe. Quelqu'un tenta un timide « on va pas se laisser faire de même ». Mais personne ne bougea.

– Ben alors, les petits gars, on n'a plus envie de jouer ? Moi aussi je suis pédé, une méchante, une vilaine. En plus j'aime les coups ? Je suis un pervers, une grosse salope, une tantouze. C'est tout l'effet que ça vous fait ?

Le groupe recula d'un pas.

– Ben alors ! hurla le Poulpe.

Les mecs se regardèrent, interloqués. Alors, le Poulpe balança un grand coup de pied dans les côtes du petit chef, puis un autre, et encore un autre. Sans quitter de ses yeux devenus fous les membres de la bande. Le meneur au sol gémit, tenta de se relever. Le Poulpe shoota de nouveau, lui écrasa la tête d'un coup de talon vicieux. Puis, après l'avoir enjambé, il l'empoigna par les cheveux, lui tira la tête en arrière.

– Enculé !

Il allait lui rompre le cou, les morveux étaient paralysés.

– Arrête, tu vas l'tuer, gémit Marc-André.

Gabriel lâcha sa prise, des cheveux restèrent coincés entre ses doigts.

Il hurla :

– Ramassez-moi ça et cassez-vous tous ou je tue quelqu'un !

Le sèche-mains électrique à cellule photoélectrique se mit en marche tout seul lorsque le Poulpe, défait, alla s'appuyer contre le mur, face à la glace. Pendant un long moment, le jeune homme l'attendit dehors, assis dans l'herbe.

– T'as une voiture? lui demanda Gabriel en sortant.

Il fit non de la tête.

– Allez viens. Je t'emmène.

* * *

Marc-André pleurait maintenant comme un veau. Il passait et repassait ses mains tremblantes dans ses cheveux courts décolorés, de violents hoquets secouaient ses épaules.

– Excuse, je braille comme une fille. C'est les nerfs qui me lâchent. J'haïs ça me donner en spectacle. Mais j'ai jamais supporté la violence. J'suis peureux. J'ai toujours été comme ça. Déjà quand j'tais p'tit, j'tais pas capable de supporter les batailles de hockey, à la télévision : ça m'impressionnait trop.

– Ce n'est pas un défaut, objecta Gabriel.

– J'suis pas d'accord. On peut être contre la violence. Mais on peut pas faire comme si ça existait pas. Si on ignore la violence, on finit par la subir et par s'y soumettre. J'sais de quoi j'parle.

– Mais il arrive, lorsqu'on s'y frotte, qu'on perde les pédales. Moi aussi, je sais de quoi je parle.

Au loin, on apercevait maintenant les cheminées des raffineries de l'est de Montréal. Une odeur d'œufs pourris n'allait pas tarder à remplir la voiture. Les gamins s'en sont de tout temps amusés. « Gros cochon, t'as pété ! T'as pété, gros cochon ! »

– Je fais de la traduction et la révision de textes. Je travaille de chez nous, à la maison. Avec Internet et le fax, on peut s'installer n'importe où de nos jours.

– On le dit, en effet.

Il chantonnait en parlant mais sans verser dans *La Cage aux folles*.

– Je vais à Montréal une fois par semaine. Mais François avait besoin du char aujourd'hui. Ça fait que j'ai décidé de monter sur l'pouce. Ça s'est mal passé. Y'a un vieux cochon qui m'a embarqué. Il s'est arrêté dans le parking de l'aire de repos. Il voulait que je le suce dans les toilettes. J'ai pas voulu évidemment. Y m'a crissé là.

– C'était pas ta journée. Je sais ce que c'est. Tu vis à Montréal ?

– Moi pis mon chum, on est ensemble depuis deux ans. On a acheté une vieille maison en pleine campagne, c'est même pas à une heure de Montréal. Il y a des lucarnes, une grande galerie blanche. C'est au bord de la rivière l'Assomption. On est tranquilles : on écoute Verdi à longueur de journée. On peut pas se baigner, c'est trop pollué, mais il y a des chênes. La maison est immense. Elle a été construite il y a cent vingt ans par un notable du coin, un dénommé Lafortune, qui rêvait d'avoir beaucoup d'enfants. Mais sa femme pouvait pas en avoir et…

Le Poulpe demeurait silencieux.

– Je m'excuse c'est pas intéressant ce que je raconte. Je parle trop. J'te dis, c'est nerveux. J'ai du mal à hiérarchiser mes pensées. Mon psy appelle ça un problème de clivage.

– C'est pas ça, c'est moi. Je pensais à autre chose.

Marc-André proposa un peu de musique et alluma la radio : on y causait encore hockey. « Les lignes sont ouvertes, rappelait l'animateur. Nous sommes en direc' à *Paroles de sportif* en compagnie de l'entraîneur des Caribous, Mike Grenier, qui vâ répond'e à vos questions en direc'. »

Tout ça devenait vraiment pénible.

« Bonjour Mike et félicitations, disait un auditeur. J'appelle du Saguenay-Lac-Saint-Jean, pis j'peux dire qu'icitte, on est avec les gars à 150 % et qu'on est ben fiers en tant que Québécois de la belle saison que les Caribous ont eue. J'aimerais jusse te d'mander, Mike, si tu penses pas que la défense dans la prochaine game, vu que les Queens sont très agressifs dans les coins, que ce serait pas mieux de monter des lignes de gros joueurs, pour avoir un jeu plus physique, surtout au début de la game, pour casser leur momentum et pas leur laisser trop de glace, surtout à un gars aussi rapide que Wayne Mislavsky ? »

– Mais en quoi il cause ce con ? s'énerva le Poulpe.

– Lui, c'est pas trop grave. C'est Grenier que j'peux pas sentir. Maudit hypocrite !

– Quoi ?

– Je dis : Maudit hypocrite ! Grenier, le coach. Ça joue les Monsieur Net, ça fait semblant d'être straight mais y est pas si clean que ça. Tout le monde sait dans le village gay qu'il est aux hommes. Moi c'est pas mon genre. Je suis pas le sien non plus. Son truc à lui, c'est plutôt le pédé cuir violent, très jeune, viril et bien bâti. On baise entre hommes supérieurs. Maintenant qu'il est connu, il fait attention.

– C'est jamais sorti nulle part ?

– Il est menteur mais il fait rien d'illégal. Tout ça se passe entre adultes consentants. Et en plus, y paraît que c'est un violent. C'est sûrement pas moi qui va aller raconter ça à tout le monde. N'empêche, y m'écœure avec ses grands airs. Regarde-moi ça : as-tu déjà vu une face de rat comme ça ?

Gabriel baissa les yeux vers le journal que Marc-André venait de sortir de son sac à dos : à la une du supplément sportif, Grenier souriait à pleines dents. « A un match de la Coupe », titrait le canard. Dans le poste, l'autre allumé poncifiait. « Le hockey forge les esprits droits, des esprits fiers et solides comme du marbre. Il n'y a pas de place dans une équipe pour les faibles, les mous ou les pervers. Seule compte la volonté de vaincre, de se surpasser, d'aller au bout de soi. Le plus important, dans un monde qui a perdu le sens des vraies valeurs, c'est la discipline. J'ai appris ça à l'École de police et ça m'a servi toute ma vie. »

– Nom de Dieu ! s'écria le Poulpe.

Le hurlement des pneus couvrit le cri d'horreur du passager.

– Mais té-tu après virer fou ? Breaker comme ça sur une autoroute !

Ce n'était pas l'autoroute du Sud un 15 août, personne ne leur collait au cul, il n'y eut pas de carambolage mortel sur la route des vacances, seulement quelques coups de klaxon, deux ou trois majeurs agressivement pointés vers le ciel.

– Qu'est-ce qui t'arrive ? Si tu m'as sauvé la vie pour que j'aille me tuer en char, laisse faire !

La voiture s'était immobilisée sur la bande d'arrêt d'urgence, laissant derrière elle deux longues marques de freinage semblables aux taches que l'on voit parfois dans les slips des accidentés peu soigneux et que les Québécois, dans cette langue riche et imagée qui est la leur, ont éloquemment baptisées « traces de break ».

– Non attends ! Montre-moi ce journal. Merde, dépêche-toi !

Gabriel arrache le journal des mains de son jeune passager affolé, se le colle contre le nez, dévisage Grenier d'un œil mauvais.

– Il a vieilli mais on peut pas dire qu'il a renouvelé son discours !

– De quoi tu parles, je comprends rien dans ce que tu dis.

– Je te parle de lui, Grenier, monsieur Hockey sur glace ! Il était coach à Shawinigan dans les années 70, quand Paul y vivait encore. C'est ça, non ? Aide-moi un peu, merde !

– Calme-toi, Gabriel ! Je peux de parler de ben des affaires mais je te le dis tout de suite : l'histoire du hockey du Moyen Age à nos jours, c'est pas mon fort. J'sais même pas qui a gagné la Coupe Stanley l'an passé. Après ça, j'm'étonne de manger des volées dans les toilettes publiques. Puis c'est qui Paul ?

– Ça va, laisse tomber… Tu connais Shawinigan ?

– Tu plaisantes ?

– Allez, je vais te faire visiter la région. Ça t'aidera à te remettre de tes émotions.

– Non, je veux descendre. Il faut que j'aille à Montréal...

– On n'a pas le temps. Accroche-toi !

La voiture de location rouge démarre sans prévenir, coupe sauvagement la route à une Voyager anthracite (coups de klaxon et doigts d'honneur), se lance à l'assaut du terre-plein séparant les deux voies de l'autoroute en faisant des bonds grotesques, patine dans la pelouse, en ressort péniblement puis s'engage sur l'autre voie (coups d'avertisseur et bras d'honneur) – Direction Shawinigan.

Julien Doucet s'apprêtait à quitter les bureaux du *Nouvelliste* lorsque arriva Gabriel une heure plus tard.

– Tiens, encore toi. Tu es revenu pour m'acheter un scapulaire fait à la main. J'en n'ai plus, je suis en rupture de stock.

– C'est ton stock de blagues qui a besoin d'être renouvelé, si je puis permettre. Ce qui me ferait plaisir, c'est de revoir tes archives.

– Comme tu peux voir, le devoir m'appelle. Mais tu sais où ça se trouve. Fais comme chez toi. Tiens-moi au courant et bonjour chez vous !

Le Poulpe retrouva l'article sans peine. Sur la photo vieille de trente ans, Mike Grenier posait en complet trois pièces contre la bande de la patinoire aux côtés d'un jeune joueur en tenue, Réal Fortin, le « nouveau *policier* qui allait apporter un peu de poids à la ligne offensive des Pionniers ». Sous le nez de la recrue édentée, une étrange cicatrice témoignait d'une certaine habitude des coups.

Mon cher Julien, écrivit Gabriel sur un bloc-notes, Grenier pue de la gueule. J'aimerais savoir à quel râtelier il bouffe. Peux-tu vérifier ça pour moi ? Je t'expliquerai. Bises.

G.

* * *

– Tu es sûr, tu ne veux pas que je te ramène à Montréal ?

– Non merci. De toute façon, ma journée est perdue. Le bus, ça ira. Pis je t'ai asez dérangé. J'ai appelé mon chum, y va venir me retrouver à mi-chemin, à Louiseville. Fais-toi-z-en pas pour moi.

La petite gare routière était installée au rez-de-chaussée d'un immeuble ancien. Quatre bancs en chêne faisaient face à la vitrine devant laquelle les cars venaient se ranger. De chaque côté de la salle d'attente se trouvaient trois anciennes cabines téléphoniques en bois équipées de lourdes portes. Il y avait aussi une vieille machine à sandwiches, une distributrice de chocolat et de chips, un Photomaton qui puait le révélateur, une employée grise derrière un guichet usé. Le terminus était presque désert. On y aurait volontiers attendu un de ces bus frappés d'un lévrier et qu'une fois au moins dans sa vie on rêve de prendre pour de bon. Pour aller se faire pendre ailleurs.

– Fais gaffe. Et évite d'aller pisser tout seul, conseilla le Poulpe au moment où s'ouvrit, dans un sifflement, la portière du car.

– Toi aussi, fais attention. On sait jamais.

Gabriel reprit la route. Il tenait enfin une piste, un petit bout de fil sur lequel il n'avait d'autre choix maintenant que de tirer de toutes ses forces. Le tueur connaissait le coach des Caribous. En tout cas, il l'avait connu. A Shawinigan, la ville du gros Paul. Ça voulait dire quoi au juste? Rien. Rien, peut-être. Mais on fait avec ce qu'on a. Il était temps d'en finir. Alors ça ou autre chose.

La voiture était climatisée mais il préféra baisser les vitres. L'air chaud et humide s'engouffra dans l'habitacle. A Montréal, le soir venu, il abandonna la caisse dans le parking souterrain du complexe Desjardins. Montréal baignait dans une chaleur moite. Un peu plus loin, à l'est, Mélanie dans son peignoir démêlait sa chevelure rouge en regardant à la télé la version québécoise d'*Urgences*. Elle n'eut qu'à tendre le bras pour attraper le téléphone.

– Allô Mélanie?

– Oui.

– C'est Gabriel. J'ai besoin d'aide.

14

Samedi 7 juin

– Ça on ne peut pas dire que ce soit un grand humaniste de gauche.

– Tu veux dire que c'est un trou-du-cul, oui!

Chez les anars, Mike Grenier faisait l'unanimité. Gabriel écoutait.

– Il est intelligent, disait Antoine. Il sait exprimer ses idées clairement, toujours sur le même thème. En gros : on n'a rien pour rien, vive l'ordre, on a jeté le bébé avec l'eau du bain. Et puis la drogue. Et puis tous ces pauvres, ces envieux, qui ne pensent qu'à profiter de la société. Et tous ces jeunes qui ne respectent plus rien. On dira ce qu'on voudra mais les écoles de correction avaient du bon. Le temps où les femmes restaient à la maison aussi.

– Et on le laisse parler ?

– C'est l'avantage de sa position. Il serait ministre, il se ferait peut-être démolir. Mais chez lui, tout passe. Ses déclarations sont reprises dans les pages du sport, entre des commentaires sur la dernière game et la prochaine. On est entre hommes, on est des sportifs, on ne fait pas de politique. De toute façon, l'équipe gagne. C'est la seule chose qui compte.

– Grenier, c'est le discours de l'excellence. Il travaille tout le temps. Il s'est même fait aménager une chambre dans son bureau. Il couche carrément au Forum.

– Et de toute façon, il sait jusqu'où aller trop loin.

– Il maîtrise parfaitement son message. Il s'exprime bien. C'est rare. Et personne l'écœure à cause de ça, ce qui est encore plus rare. Il adore les médias, qui le lui rendent bien. On aime son côté direct, son franc-parler... Il faut dire qu'il s'encombre pas de nuances.

– C'est vrai qu'il niaise pas avec le puck.

– Il quoi ?

– Il va droit au but. Il ne lésine pas avec le palet, quoi... traduisit Mélanie en imitant l'accent français.

Un fou rire général leur fit perdre un moment le fil de la divagation.

– Et puis, bon, c'est du sport professionnel, reprit

Antoine. Grenier est le reflet d'un milieu conservateur par essence. Les joueurs gagnent des millions à vingt ans, la plupart d'entre eux n'ont jamais rien vu d'autre que leur patinoire, leurs fans et les filles à leurs pieds. On est dans un univers capitaliste, il n'y a pas de place pour les pleurnichards. Le hockey, c'est pas les bonnes œuvres de mère Teresa. Les joueurs les plus performants sont les mieux payés, les moins bons, on les vend, on les échange, on les jette, l'argent rentre et tout le monde est content. C'est comme ça. Personne ne s'en plaint.

– Et puis il a la confiance du big boss.

– De qui ?

– Jacques Laventure. Une grosse poche. Aussi fou que l'autre, mais en pire. Tu l'aimerais, c'est sûr. Y a pas longtemps, il a suggéré de priver les filles-mères d'aide sociale pour leur faire passer l'envie de coucher avec tout le monde. Il dit aussi qu'il faudrait créer des camps de travail pour les assistés sociaux qui refusent des propositions d'embauche.

– Il n'a pas encore pensé à faire gazer les chômeurs ?

– Non, mais ça viendra sûrement…

* * *

Le Forum : la Mecque du hockey, le Vatican du patin à une lame.

Les trente-deux fanions qui pendaient des poutres d'acier du toit racontaient la glorieuse épopée des Valeureux. Il y en avait un pour chaque coupe remportée depuis près de quatre-vingts ans par ceux qui avaient eu l'insigne honneur de revêtir la Sainte-Etoffe, le maillot des Caribous.

L'histoire, l'inconscient collectif québécois logeaient ici. C'était comme une odeur, comme de la poussière de temps un peu grasse : année après année, dans chaque recoin de l'immense arène, s'étaient déposés, par sédimentation, les complexes, les frustrations, les cris de joie, les moments d'abattement ou d'exaltation, l'envie de vaincre, la soif de réussite et de reconnaissance de tout un peuple.

Dans quelques heures, 20 000 supporters allaient en remettre une couche.

Ce soir, le Forum était le centre du monde, l'endroit où il fallait être vu. La meilleure place se trouvait à la droite du grand patron du club. Juste derrière le banc des Caribous. Dans le champ des caméras de la télévision.

– On a déjà accrédité un journaliste de *L'Equipe*, s'étonna l'attaché de presse.

– Ah bon qui ça ? demanda le Poulpe.

– Attendez... Un certain Jacquet.

– Ah oui, mais non, Jacquet, il est du journal tandis que moi je suis du magazine. Je ne le connais pas personnellement, mais lui fait les news, moi l'ambiance, vous voyez ? Ma rédaction veut un papier général sur « Montréal saisi par la frénésie de la Stanley Cup » et tout le bordel.

L'attaché de presse démarra au quart de tour et lui obtint une entrevue exclusive avec le coach.

– Trois heures avant le match, il faut qu'on aime les Français et pas à peu près. Mais quinze minutes pas plus.

– S'il répond bien à mes questions, cela suffira largement.

Le bureau était vaste, clair et ordonné, ses murs

croulaient sous les trophées, les médailles, les souvenirs, les photos de Grenier, ici avec sa femme et ses enfants, là avec des stars, des vedettes du sport professionnel, le Premier ministre. Manquait que les disques d'or.

Mike Grenier, fier de son début de soixantaine athlétique, était charmant, détendu, élégant.

– Pour les matches importants comme celui de ce soir, je porte toujours un complet neuf. Dans le hockey professionnel nord-américain, on a tous nos petites superstitions.

L'homme était fin communicateur, il commençait l'interview par une petite info légère, pittoresque, suggérait le début de son papier au journaliste. Le Poulpe nota ce détail capital, Grenier approuva, d'un imperceptible hochement de tête.

Sur sa carrière, le Poulpe s'était vaguement documenté, pour faire bonne figure. Grenier n'avait jamais joué au hockey mais était un théoricien et un motivateur hors pair. Il avait fait carrière en province, à Drummondville puis à Shawinigan, gagnant à plusieurs reprises le championnat junior. Dans les années quatre-vingt, on le retrouve aux Etats-Unis dans la Ligue américaine, au début des années quatre-vingt-dix, il entraîne des équipes suisses et françaises, à Epinal et à Rennes. On l'oublia jusqu'au jour où, après une saison calamiteuse des Caribous, Laventure, le big boss, fit appel à ses services, lui taillant sur mesure un costard d'homme providentiel. Grenier adorait tenir ce rôle.

– Oui, définitivement, le sport de haut niveau, le hockey surtout, est la meilleure de toutes les écoles. On apprend à respecter son chef, à travailler en équipe, à se surpasser, à surmonter ses peurs. Vous savez, il faut avoir du courage pour aller chercher le puck dans le coin de la patinoire avec deux gros gras de deux cents livres qui vous arrivent dans le dos, pour vous effoirer contre la bande. Dans la vie, c'est la même chose, il ne faut pas avoir peur d'aller dans les coins, de prendre des coups et d'en donner.

– Mais ne soyons pas naïfs. Le hockey, c'est d'abord une affaire de gros sous.

– Oui et c'est très bien comme ça. Il faut récompenser le travail et le talent, la supériorité disons le mot. C'est normal. Sans l'argent, le sport ne ferait pas autant rêver les masses. Les gens veulent du rêve, on leur en donne, avec en prime du fun, de l'excitation et de la fierté. Et tout cet argent, je vais vous dire, c'est une garantie. Acheter une victoire, c'est impossible. Chez vous, au soccer, tout le monde triche. Les joueurs sont payés cash ou en nature, il ne faut ne pas s'étonner que tous les matches soient truqués.

– Comme vous y allez ! s'indigna faussement le Poulpe.

Le sport, comme la politique, possède sa langue de bois. Grenier, manipuleur, jouait à celui qui dit tout haut ce que les autres pensent tout bas.

– Donc le hockey sur glace joue selon vous un rôle social, comment dire, essentiel ?

– Essentiel, absolument. Pour le peuple, c'est une soupape, un opium mais un opium plus sain que les autres. C'est pas du poison vif, comme la drogue ou la pornographie.

– On peut aussi faire du vélo à la campagne, assister à des concerts, lire. C'est pas plus mal.

– Vous savez, un de nos anciens Premiers ministres disait : l'instruction, c'est comme la boisson, y en a qui portent pas ça. De toute façon, il existe au Québec une vieille tradition. On se méfie des intellectuels, des idées, des nuances. C'est notre passé catholique. On n'aime pas ça, nous autres, les pelleteux de nuages.

– Paul Gélinas aimait bien les livres, lui.

Grenier n'eut aucune réaction. Il ne savait rien ou possédait une exceptionnelle maîtrise de soi.

– Qui ça ?

– Paul Gélinas. C'était un gros homme pas bien méchant d'après ce que j'en sais. Il est mort il y a une dizaine de jours. Je sais qu'il était venu vous voir il y a peu de temps, frima Gabriel.

– C'est vrai, encore que j'vois pas très bien...

Grenier marqua une pause, scruta son interlocuteur.

– Mais qui êtes-vous ?

– Personne. Je m'informe, c'est tout.

– Écoutez, ça me fait bien de la peine de savoir qu'il est mort. Il y a quelques semaines, vous avez raison, il avait demandé à me voir. Je l'avais connu il y a très longtemps en province. C'était un enfant comme on en voit plein dans les arenas, qui rêvent de hockey jour et nuit. Je l'avais évidemment oublié. Il m'a demandé de l'aider à trouver une petite job, barman ou n'importe quoi... Je lui ai suggéré de me rappeler plus tard, après la coupe... Mais son physique ne correspondait pas à notre image de marque. J'allais quand même pas le nommer eunuque dans le salon réservé aux épouses des joueurs ! Un accident ?

– Pardon ?

– Un accident ?

– Non, il été tué, on l'a abattu en pleine rue.

– Toute cette violence... Mais revenons à nos affaires. Nous avons une Coupe Stanley à gagner. Évidemment, vous avez des places pour la partie ce soir ? demanda Grenier en raccompagnant Gabriel.

– Je ne manquerais ça pour rien au monde, répondit-il en soutenant son regard.

* * *

La Poulpe flâna un peu dans les couloirs du Forum. Les premiers spectateurs prenaient place dans les gradins. S'il avait levé un lièvre, on n'allait pas tarder à lui voir la queue. Ou le bec.

* * *

Le gardien de but, matelassé, casqué et masqué, avait des allures de dresseur de chiens. Il était maintenant agenouillé sur la patinoire, au milieu d'un bordel innommable. Les joueurs, des géants, se chamaillaient, échangeaient de solides coups d'épaules, certains tombaient, d'autres fouettaient l'air avec leur bâton. A un moment, le filet a frémi, imperceptiblement. La moitié des joueurs a levé les bras, la foule surexcitée a bondi, portée par une clameur unique et unanime. Le Poulpe supposa que les moulinets du goaler avaient été vains et qu'une des équipes venait de marquer un point. Il n'aurait pas pu le jurer cependant car il avait renoncé dès les premières minutes de jeu à suivre des yeux l'invisible puck. Le disque avait sans doute pénétré dans le but puisque tout le monde semblait le croire.

Mais lui-même aurait été bien incapable de dire qui l'y avait poussé. Tout allait trop vite.

«Le premier but des Caribous, précisa l'annonceur, a été marqué, à neuf minutes cinquante-deux, par le numéro neuf Yves Denys, assisté du numéro quatre Simon Lalonde.»

C'était donc vrai.

Au début, Gabriel avait tout pigé : le rituel, les hymnes nationaux canadien (le dernier vers était en anglais) et américain, l'organiste qui comblait les temps morts avec des petites mélodies enlevantes, les hot-dogs, la bière, les supporters scandant «Go Caribous Go! Go Caribous Go»! Puis progressivement, entre les mises au jeu au centre et sur les côtés, les hors-jeu, les punitions «pour avoir fait trébucher» ou «pour accrochage», les avantages numériques et les dégagements illégaux, sa concentration avait décliné. Le spectacle était excitant, il fallait en convenir, mais le désir de vaincre, fût-ce par mercenaires sportifs interposés, n'était pas de ceux que cultivait le Poulpe.

D'autant qu'en ce moment, il avait pas que ça à foutre.

15

Quel match! Mesdames et messieurs! hurlent d'une même voix dans le poste les commentateurs sportifs. Mais quelle fin de match incroyable!

La marque est égale, nous sommes en prolongations, pour la troisième fois de suite dans cette série, on a du mal à y croire. Les Valeureux disposent d'un avantage numérique, la tension est à son comble. Temps mort. Grenier demande à l'arbitre de mesurer le bâton du gardien de but des Queens. Coup de théâtre : il n'est pas conforme au règlement. Cinq millimètres de trop. Nouvelle punition, double avantage numérique, à cinq joueurs contre trois, pendant cinquante secondes. C'est plus de temps qu'il n'en faut. O'Connar passe à Duconvnick, Duconvnick à Latulipe, une feinte de Latulipe, Latulipe marque, un tir frappé dans le coin supérieur gauche du filet. Victoire des Caribous 4-3. Le délire. Après une traversée du désert de dix ans, Montréal récupère la précieuse Stanley Cup, la Coupe Stanley, que le capitaine de l'équipe porte maintenant à bout de bras tout autour de la patinoire, pourchassé par ses petits camarades en nage qui veulent en faire autant. Allez, à moi, c'est à mon tour, c'est à mon tour, allez sois sympa.

Plus tard, dedans, ils boiront du champagne.

Bon, ce n'est pas qu'on s'ennuie mais on doit y aller. On cause, on cause, je te retarde, puis ça m'avance pas non plus…

Le Forum se vide, d'un coup, il perd son public par tous ses orifices, comme s'il avait bouffé un truc. Dans la rue, la flicaille est sur les dents. Des passants disent : « Ça va encore péter comme la dernière fois, dépêche-toi, on s'en va chez nous. »

L'esprit est à la fête. Mais la fête tourne mal. Rue Sainte-Catherine, la foule gonfle, devient agressive. Les boutiques de luxe et d'électronique serrent les miches, elles vont s'en prendre plein la gueule encore cette année, ça va pas louper. Des casseurs ont renversé une première voiture, viennent d'en repérer une autre, un car de reportage de la télé. Miam-miam.

La marée humaine progresse à la vitesse d'un cheval au galop, peut-être un peu moins, mais quand même. Lecouvreur suit le mouvement, mais pas trop vite, il ne veut pas se perdre, ne veut pas qu'on le perde. Il a repéré Bec-de-lièvre, il a toujours un pansement sur le nez, il est là derrière, il étire le cou, sautille, se dresse sur la pointe des pieds, essaie de se frayer un chemin dans la multitude.

Approche, approche, viens enfoiré.

Autour, ça pète franchement. Montréal risque de se réveiller avec une sacrée gueule de bois.

L'homme talonne Lecouvreur... Lecouvreur se faufile entre trois pilleurs... évite une poubelle... s'arrête sous un escalier de secours, qu'un contrepoids en fonte maintient relevé... Lecouvreur attend dans le noir son poursuivant... Bec-de-lièvre entre dans la zone adverse... prudemment... s'arrête... feinte... cherche une ouverture. Sur le mur l'ombre du tueur, arme au poing, se déplie. Manque que le miaulement d'un chat. Lecouvreur saisit une planche dans les poubelles... vise le nez... frappe. But ! L'homme s'écroule.

Quel match, putain de bordel de Dieu, mais quel match !

* * *

Le Poulpe a récupéré le magnum et violemment plaqué le teigneux contre le mur. Dans la rue à côté, des gens crient, des gens courent, l'escouade anti-émeute charge. Personne ne viendra les déranger.

– Pourquoi ? gueule Gabriel. Qui et pourquoi ?

L'homme est dans un sale état mais sourit, très sûr de lui. Ou très très con.

– Des crottés qui se mêlent pas de leurs affaires, c'est ça qui leur-z-arrive. Puis ça va t'arriver à toi aussi. On va te faire ta fête, mon tabarnac. Je pense que t'as pas encore compris dans quoi que tu t'es embarqué, sinon tu s'rais pas venu au Forum aujourd'hui. On va pas te rater, mon hostie, tu vas voir ça.

Gabriel lui fout un coup de boule, son nez n'est plus qu'une hémorroïde sanglante séparant deux yeux fous.

– Au fait, ta petite blonde, comment qu'a va ? J'aurais ben aimé te régler ton compte en même temps qu'elle mais je t'avais perdu. C'est pas bien grave, j'avais de quoi m'occuper. On a eu ben du fun ensemble. C'était une fille bien chaude. Mais je peux te dire qu'à la fin, elle était pas ben jasante.

La tête de Bec-de-lièvre donne violemment contre le mur, deux fois, trois fois, des cheveux ensanglantés restent coincés dans la brique striée. Qui veut du crâne râpé ? Dans la rue Sainte-Catherine, la bataille rangée entre les casseurs et l'escouade anti-émeute dégénère franchement tandis qu'éclatent les vitrines et crament les voitures. Demain, les journaux s'interrogeront sur les causes de cette explosion de violence.

– C'est curieux, petite fiente, j'ai l'impression que c'est toi qui saisis mal la situation. Alors maintenant, tu réponds : qui et pourquoi ?

Gabriel lui enfonce le canon de l'arme sous le menton, assure sa prise sur la crosse et la détente en respirant très fort. Par le nez.

– Qui ?

Lecouvreur a blanchi, comme blanchissent les chats de ruelle à l'approche de la bagarre, quand leur sang quitte la surface de la peau. Vachement perspicace tout de même, Bec-de-lièvre a senti le changement. Le flingue fait minerve, il n'ose plus remuer la tête. Le coup part, lui arrache une partie de l'oreille et un hurlement. Il gémit.

– Attends, moi j'exécute les ordres. Vois tout ça avec le boss. C'est Jacques Laventure, le propriétaire du club. Va le voir, arrange-toé avec lui. Si c'est d'l'argent qu'tu veux pour nous crisser patience, y va t'en donner. Pis fuck you. J'comprends pâs pourquoi que tu t'énarves de même jusse pour un gros plein de marde pis une petite p'lotte.

Le Poulpe ne pigea pas un mot mais l'esprit général du propos, débité dans un sabir qui offensait l'oreille honnête, lui sembla limpide. Il appuya sur la détente. Le cerveau du tueur dessina des graffitis obscènes sur le mur. Brain painting. Je tiens un concept, pensa le Poulpe en se noyant dans le flot des émeutiers.

16

Dimanche 13 juin

Il était moins de 8 h 00 lorsque la Cadillac Seville est venue se garer devant la somptueuse résidence. Laventure, le propriétaire des Caribous, rentrait chez lui, en élégante compagnie, après avoir célébré tout la nuit sa Coupe Stanley avec les dirigeants du club et quelques personnalités du monde merveilleux de la politique et de la haute finance.

Accroupi au milieu d'un bosquet de cèdres décoratifs, Gabriel avait fait le guet pendant des heures. Il avait facilement déjoué la surveillance des deux flics chargés de veiller, depuis leur jolie voiture, à ce qu'aucun voyou ne monte jusqu'à Westmount foutre le bordel et casser du richard. Les risques étaient minces : tous ces quartiers hyperchics, on sait qu'ils existent mais les pauvres y viennent peu, en touristes parfois, en s'excusant presque, jamais en casseurs.

La Cadillac déposa Laventure au pied de l'escalier de pierre puis alla sagement faire coucouche-panier, entre une Rolls et une luxueuse Cherokee Jeep. Juste avant qu'elle ne touche le sol, le Poulpe se glissa sous la porte automatique du garage.

– What the fuck? s'écria le chauffeur-garde du corps en glissant sa main dans son complet, un complet noir un peu étroit pour lui. Le type était immense, avec un nez de catcheur tout applati et des oreilles mitées. Il stoppa net devant le flingue de Gabriel.

– On ne bouge plus. Où est Laventure?

Du menton, le géant indiqua une porte.

– Les clefs de la bagnole, vite, donne-moi ces putains de clefs et ton flingue.

Le géant lui présente un lourd trousseau, Gabriel (les gens tout de même...) tend la main. Le coup aurait suffi à décorner un bœuf, un gros. Gabriel plia les genoux, offrant son entrejambe... Il connaissait la suite, il tenta de fuir. Le géant l'attrapa par le blouson, le ramena vers lui puis le projeta contre le mur. Sonné, brisé, émietté, Gabriel s'écrasa au sol dans un bruit de casseroles en entraînant avec lui des outils de jardinage pendus au mur. La joue contre le sol bétonné – d'une étonnante propreté – il voyait s'approcher les pieds du colosse. Quand il fut à sa portée, Gabriel s'agenouilla, saisit un manche de pioche et lui en balança un grand coup dans le genou. Le monstre s'écroula à son tour, dans un craquement sonore. « Fuck, my knee, me knee, hi-hi-hi… » (« Enculé. Mon genou, mon genou, mon genou-hou-hou-hou »), chialait le gros balaise à sa maman. Gabriel se releva, en prenant appui sur le lourd bâton. Le manche de pioche s'abattit sur le crâne du garde du corps, une longue plaie en forme de sourire débile s'ouvrit entre ses cheveux rasés.

Gabriel désarma l'homme évanoui et le tira jusque dans le coffre de la Cadillac.

– Tu vas tout salir, gros dégoûtant, dit-il en le refermant.

La maison était immense. Le Poulpe se retrouva au milieu d'une vaste entrée, au pied d'un grand escalier monumental. A gauche s'ouvrait une succession de salons de réception, à droite un large couloir.

– On n'est pas dans la merde.

Gabriel erra un moment dans le manoir sans croiser âme qui vive. A l'étage, il entendit une voix derrière une porte, il ouvrit. La fille émit un petit couinement en l'apercevant : le Poulpe devait vraiment avoir une sale tête. Laventure arriva de la pièce voisine.

– Tu m'as parlé ma toute belle ?

Putain, le mec ! La classe, l'élégance et la culture d'un balai à chiotte, le parvenu dans toute sa morpionesque splendeur, vulgaire, arrogant, satisfait, le con qui a réussi, court, poisseux, gras, gonflé d'un orgueil à faire péter les boutons du gilet de son costard trois pièces, fier de son ignorance, de sa fortune.

– Mon p'tit gars, je sais pas qui tu es exactement ni ce que tu veux, mais t'as intérêt à crisser ton camp d'ici au plus vite. Ou tu t'en vas tout seul ou ben on te sort et là, ça risque de mal se passer.

– A la tête de quelle armée, connard? répondit le Poulpe en tirant le chien de son revolver. Ne compte pas sur ton tueur parce qu'en ce moment il expérimente un nouveau mode d'expression picturale, tu ne peux pas comprendre, c'est de l'avant-garde. Et ton groom anabolisé, lui, il fait un beau gros dodo. Mais t'as raison, on n'a pas beaucoup de temps. Alors tu poses ton cul là et tu racontes tout.

Laventure prit place dans un fauteuil en cuir derrière un large bureau, le dos à la fenêtre. Derrière lui, en contrebas, la pelouse était verte, les arbres magnifiques. Il ne manquait au tableau qu'un couple d'alezans broutant paisiblement.

– Un gros homme appelé Paul Gélinas et sa petite copine ont été tués par un gars à toi. Tu vas me dire pourquoi.

– Je ne vois pas ce que tu veux dire.

– Pas de ça.

– C'est un terrible malentendu.

– Pas de ça non plus.

– Non mais calme-toi, laisse-moi parler… Au début de la série finale, ton gros est venu voir Grenier, le coach, pour le faire chanter. Y voulait raconter que Grenier l'avait violé quand il était petit. C'était pas vrai, je l'connais depuis toujours et je sais que les petits gars, c'est pas son genre. Grenier a quand même pris peur : on peut pas se défendre de ces accusations-là. Vrai ou pas, si ça sortait avant la Coupe Stanley, on était finis... Il a paniqué, il en a parlé autour de lui. Un de nos hommes a pris des initiatives malheureuses, il a fait du zèle. On n'a rien à voir la-d'dans, ni Grenier ni moi. On va régler ça, on attendait juste que la coupe soit revenue à Montréal pour avertir la police. La coupe Stanley. Tabarnac... J'sais pas si tu comprends ce ça que veut dire. Tu peux pas savoir, de toute façon. Les Français, vous avez pas de fierté vous autres. Chez vous, c'est le socialisme, la retraite à cinquante ans, les grèves à en plus finir, les trois mois de vacances payées. Mais travailler, se battre, gagner, vous savez pas ce que ça veut dire. Vous voulez le beurre et l'argent du beurre et...

La gifle, sèche et bruyante, le fit taire. La fille, recroquevillée dans son coin, refit un petit couinement.

– Non mais tu me prends pour qui ? demanda le Poulpe.

Dans la tête de ce cinglé, il y avait déjà des fils qui se touchaient ; la baffe fit fondre d'un coup tous les circuits.

– Tu oses lever la main sur moi. Vermine, j'vâ t'écraser comme on a écrasé les autres. Gauchisse, paresseux, tapette, va travailler au lieu de venir déranger ceux qui réussissent, le monde é pâs faite pour les gens comme toé, yé pâs faite pour les obèses et les danseuses topless, pour les p'tites guidounes qui se laissent tripoter pour dix piasses, yé pas faite pour les ratés, les tarés, les faibles. Le Nouvel Ordre arrive, nous arrivons. Car j'suis pas tout seul, dit-il en brandissant, tel un prédicateur sa Bible, un répertoire en cuir. On laissera même pas le droit de respirer à des minables comme toi.

Le garde du corps choisit ce moment pour fracasser la porte d'un coup de pied. Ce n'était pas une pompe à vélo qu'il tenait à la main. Il arma sèchement et tira, à l'aveugle, en lançant un hurlement malade de chien de guerre madmaxien. Le coup de feu fit voler les vitres en éclats, déclenchant le système d'alarme. Le type n'aurait plus l'occasion de manifester son mauvais esprit revanchard : le Poulpe lui avait mis une balle en plein cœur.

Laventure reposait sur son fauteuil, ventre à l'air, comme un poisson mort. Des branchies avaient poussé sur ses côtes.

D'où l'air cessa bientôt de siffler.

***

Comment était-il sorti de son coffre ce con? Le Poulpe courut au garage, monta dans la Cherokee et mit le contact. La porte du garage et le portail, obéissant à un système dont il aurait bien aimé en d'autres temps saisir l'astucieux fonctionnement, s'ouvrirent automatiquement. Tant mieux.

La Jeep passa en trombe près de la voiture de police. Un des poulets jetait un sac de beignets et des gobelets de café dans une poubelle, à l'intérieur l'autre demandait du renfort. Le 4x4 dévala à toute berzingue les rues tranquilles de Westmount.

Gabriel l'abandonna rapidement, au centreville. Il appela d'une cabine.

– Mélanie ? C'est encore moi.

– Je suis déçue. Je croyais que c'était Jean-Luc Godard.

– Viens me chercher, veux-tu ?

* * *

– Je vais tout vous dire.

Les potes avaient raison : Mike Grenier passait sa vie au Forum. Le Poulpe l'avait cueilli devant l'entrée principale, un peu hagard, le visage marqué par la fatigue d'avoir attendu trop longtemps l'issue du combat. Le coach avait accepté de monter dans la vieille Renault 5 de Mélanie sans faire d'histoires. Il se tenait maintenant immobile, dans le garage-atelier d'un ami sculpteur, le cul posé sur une chaise en fer bancale aux pattes grossièrement cerclées de fil barbelé rouillé, premier élément d'une installation multimédia censée illustrer les dangers de la position assise. Ou quelque chose du genre. Nerveux, le coach des Caribous se tordait les doigts.

Deux heures plus tard, le Poulpe l'avait renvoyé, vivant, silencieux et tremblant, à son dérisoire palais de glace. A son palet dégueulasse. Les commerçants, les employés municipaux, des volontaires réparaient les dégâts de la veille. Les journaux du matin se livraient à une surenchère de métaphores cataclysmiques, apocalyptiques, évoquaient des scènes dignes de Beyrouth ou de Sarajevo. Nagasaki et la Shoah n'étaient pas loin. Heureux peuple qui n'a pas connu l'horreur.

17

Lundi 14 juin

– Julien ?

– Gabriel ?

– Oui. Ça va ?

– Rien à signaler. C'est plutôt calme en ce moment. Je travaille sur un article sur le tourisme. Environ 400 000 Français visitent le Québec chaque année, tu savais ça, toi ? Or notre région, nous déclare notre bon maire, veut avoir sa part du gâteau. Passionnant, non ? Sauf que, si les touristes se mettent à trucider les dirigeants de notre glorieux club de hockey et à jeter un voile de deuil et de douleur sur nos grands moments de fierté collective célébrés dans la liesse et l'émeute, où allons-nous, je vous le demande, mais où allons-nous ?

– Arrête tes conneries, Julien.

– D'accord. Dis-moi tu n'as rien ?

– Non ça va.

– Tu me rassures. Je tiens à toi : tu es le premier ennemi public numéro 1 que je tutoie. Ton portrait-robot est diffusé partout, même sur Internet. Il ne te rend pas justice mais quelqu'un qui ne te connaît pas pourrait confondre. Alors si j'étais toi, j'éviterais les endroits fréquentés par, disons, plus d'une personne, en t'incluant dans le nombre.

– Un homme seul est toujours en mauvaise compagnie, a dit le poète. Mais merci quand même pour le conseil.

– Bon écoute : après avoir trouvé ton message sur mon bureau, j'ai fait ma petite enquête sur Grenier, comme si j'étais journaliste. Il se trouve que le cousin de ma femme était policier et professeur à l'École nationale de police. On n'a jamais trop fraternisé : certaines divergences idéologiques-z-et-intellectuelles nous séparaient. Mais il vient de prendre sa retraite, alors il est plus parlable, tu vois.

– Oui je vois Julien, mais moi aussi j'ai des choses à te raconter et puis en ce moment j'ai mes petits soucis. Alors sois gentil : accouche, merde.

– Bon, je l'ai appelé et je lui ai demandé si par hasard il n'avait pas eu Grenier parmi ses élèves. Bingo ! Non seulement il a enseigné à ce malade mais en plus il en garde un très mauvais souvenir. C'était un petit fasciste dangereux et violent, limite psychopathe. Il avait fondé au sein de l'école une section locale d'une association clandestine appelée Ordre moral. La cellule comptait peut-être une demi-douzaine de membres, tous plus cinglés les uns que les autres. Grenier a toujours su s'entourer. Il était du genre fidèle, il faut lui donner ça, il laissait pas tomber ses vieux amis. Son meilleur *chum* dans la vie, son ami de trente ans, c'était un de ses anciens joueurs, Réal Fortin. C'était un petit gars de la campagne, élevé à la dure mais doux comme un agneau, plutôt simple d'esprit. Il se voyait en vedette de hockey. Le problème c'est qu'il avait pas un bon coup de patin. Pour les coups de poing et les coups de bâton de hockey en pleine face, il était plus doué. Grenier en avait fait une espèce de pittbull, un vrai tueur, incontrôlable, fou comme de la marde, le genre à monter dans les gradins pour crisser une volée à un supporter qui l'avait insulté. La carrière de Fortin a pris fin le jour où il a perdu un œil dans une bagarre, pendant un match sans importance. Remarque : ça l'avait pas empêché d'arracher la moitié de l'avant-bras de son adversaire avec ses dents... Ben, imagine-toi don' que le contenu de son crâne vient d'être retrouvé éparpillé sur un mur dans une ruelle de Montréal. Splash! Lui était juste en dessous, par terre. Il paraît que le gars était plutôt débile mais son cerveau avait quand même l'air de lui manquer.

– Julien, merde...

– Parfois, après les cours, la joyeuse bande, animée par la même amitié virile, partait avec entrain et dans la bonne humeur casser du syndicaliste, battre de l'étudiant ou violer de la féministe, histoire de s'entraîner un peu à l'éradication de la gangrène gauchiste. Fortin avait failli être défiguré en faisant le coup de poing. Il s'était pris une bouteille de bière en pleine gueule, son œil ne tenait plus qu'à un fil. Le cousin de ma femme avait mis au jour les activités parascolaires du petit groupe et les avait signalées à la direction de l'académie.

– Et?

– Et on lui a donné l'ordre formel, en insistant bien sur le mot formel, de faire le mort, de ne pas se mêler de ça. On lui a raconté qu'on surveillait les gars, qu'on savait ce qu'on faisait et patati et patata. Les gars se sont un peu calmés par la suite, ce qui leur a valu, à la fin de leur formation, d'aller faire un stage où? A Ottawa! A la GRC. La plupart sont encore dans la police. Gabriel, tout ça sent la manipulation. Je crois que je tiens le début de quelque chose...

– Tu as le cul sur une grosse bombe, mon cher

Julien. Laventure, le propriétaire des Caribous, était le chef de l'organisation. En 70, pendant votre fameuse crise d'octobre, il a commandité le meurtre d'un dirigeant syndical à Shawinigan. Va voir, c'est dans tes archives. La police avait accusé le Front de libération du Québec sur la foi d'un soi-disant communiqué émis par les terroristes.

– Oui je me souviens de cette affaire-là.

– Paul Gélinas, mon gros Paul, qui traînait toujours partout quand il était gamin, a vu le meurtre. Les terroristes dont il avait si peur, c'était Mike Grenier et son pote. Paul a voulu faire chanter Grenier. Son tueur lui a fait son affaire.

– Doux Jésus...

– Comme tu dis.

– Il réclamait combien ?

– Un million de vos dollars.

– Rien que ça...

– Il pensait sans doute que Grenier, à quelques jours de la finale de la Coupe Stanley, n'aurait pas d'autre choix que de céder.

– Il l'aurait peut-être fait si le prix avait été moins élevé...

– Ce n'était pas seulement le prix du silence de Paul.

– C'était quoi alors ?

– Le prix de sa vie de merde. Il se trouve que Grenier aimait bien les petits garçons. Il avait une façon bien à lui de prendre possession de la rondelle. A Shawinigan, le petit Paul donnait à l'occasion un coup de main dans le vestiaire de l'équipe. Il avait eu droit à quelques visites privées du bureau du coach. T'imagines la suite : la honte, la peur, le secret, l'éloignement. Il a pensé que le temps était venu de faire payer Grenier. Il le faisait pas pour lui mais pour Elisabeth, sa petite danseuse.

– Assassin, facho, violeur : ça fait beaucoup pour un homme aussi vertueux.

– Tu l'as dit. Une amie t'apporte un petit colis. Elle sera là dans deux heures. Lis tout ça très attentivement. Je crois que tu as de quoi provoquer un joli scandale.

– Tu sais, Gabriel, j'ai plus de cinquante-cinq ans. Ma blague sur les scapulaires, je la fais depuis trente ans. J'espérais continuer encore quelques années. Je crois que c'est raté.

– Elle n'est pas très drôle de toute façon.

– Les Anglais ont une belle expression pour résumer ce genre de situation : When the shit hits the fan…

– Moi, l'anglais…

– Imagine seulement que tu jettes de la merde contre les pales d'un gros ventilateur.

– Elégant.

– Que veux-tu ? C'est la vie. Allez sauve-toi vite. Adieu Gabriel.

* * *

La messagère avait les cheveux rouges. Dans le colis, Julien trouva le répertoire de cuir de Laventure, des aveux de Grenier et un petit livre intitulé *Le Poisson-Scorpion*.

* * *

Le *Montréal Matin* était passé à côté de l'affaire. On ne pouvait pas faire trois pas sans tomber sur la tronche du Poulpe mais l'autre naze n'avait pas été foutu de faire le rapprochement.

Le flair, mon petit jeune.

Le *Montréal Matin* revenait donc ce matin-là sur l'odieux assassinat de Jacques Laventure, décrivait en long et en large la commotion du bon peuple, sportif ou non, et le chagrin de la classe politique outragée dénonçant d'une voix unanime et étranglée par la rage cet acte odieux et inacceptable (innapeceptable, disait un ministre) si éloigné de l'esprit du sport, fût-il professionnel.

De La Marre l'avait dans l'os.

– Quelles couilles il a ce Julien, mais quelles couilles ! s'exclama le Poulpe.

Le journaliste avait beau jouer au con, il savait déjà beaucoup de choses. *Le Nouvelliste* avait mis la main sur un rapport secret confirmant que Laventure, ultra-conservateur avoué et fier de l'être, avait pris la tête dès le début des années soixante d'une organisation clandestine d'extrême droite responsable de plusieurs attentats et agressions généralement attribués par la police à des groupuscules de gauche.

Il ne faisait d'ailleurs aucun doute que lui et ses complices avaient bénéficié de protection et d'appuis indéfectibles en haut lieu, au sein des services secrets et des autorités gouvernementales. Laventure, rappelait Julien, ne fut-il pas conseiller du ministre de la Justice, avant de se lancer dans les affaires et de faire fortune ?

Selon *Le Nouvelliste*, la GRC, valises de billets à l'appui, encouragea elle-même Laventure à fonder son organisation fasciste pour couvrir certaines de ses opérations de déstabilisation menées au Québec, en toute illégalité cela va sans dire. Au fil des ans, Ordre moral avait peu à peu espacé ses actions de commando au profit d'une stratégie d'infiltration. L'organisation, structurée comme une secte, comptait moins d'une centaine de membres plus ou moins actifs mais occupant tous des positions en vue, d'où chacun pouvait s'enrichir, le cul bien calé dans ses consternantes convictions, tout en se livrant à une intense promotion du principal objectif du mouvement : faire chier le peuple.

« Un répertoire contenant la liste exhaustive des membres est parvenu à notre rédaction. Plusieurs interpellations devraient survenir au cours des prochaines heures. Les enquêteurs soupçonnent des membres du groupe d'être les auteurs du meurtre d'un responsable syndical survenu pendant la crise d'octobre, et de celui, plus récent, de Paul Gélinas, un concierge abattu à Montréal en pleine rue. L'incendie criminel survenu à Saint-Anne-de-la-Pérade il y a quatre jours, dans lequel une mère et sa fille ont péri, serait également lié à cette affaire ».

Le journaliste n'identifiait pas les auteurs de ces crimes mais pointait de son doigt éclairé et vachement bien informé une autre personnalité sportive très en vue, proche de Laventure, membre elle aussi d'Ordre moral et dont l'arrestation était imminente. L'allusion était évidente.

* * *

Magma visqueux, le sang qui s'écoulait de sa tempe gagnait lentement du terrain, recouvrait progressivement l'article désormais illisible. Ce n'était sûrement pas pour le lire de plus près donc que Grenier avait posé sa tête sur le journal étalé sur son bureau en chêne.

Une revolver fumait dans sa main droite.

La police conclut au suicide.

* * *

Sans l'avoir cherché, Julien Doucet devint du jour au lendemain une vedette. Les télés, les radios du Canada et des Etats-Unis l'interviouvèrent, les journaux de Montréal lui firent un pont d'or. Il se laissa finalement tenter par une chronique hebdomadaire dans un grand quotidien, qu'il transmettait de chez lui par modem, peinard, son chat sur les genoux.

Comme on lui avait promis carte blanche, il y parla du bonheur, de l'humour de Kafka, de Borges et de Brautigan, du plaisir que prenaient les ratons laveurs à renverser ses poubelles, des impromptus de Schubert, des querelles clochemerliennes qui divisaient son conseil municipal ; il chanta l'homme, la femme, les bienfaits du silence, de la marche à pieds et de la pêche en solitaire, à l'aube, sur un lac calme comme un miroir. Chez lui, les mots prenaient leur temps. « Avec de la vitesse, on fait de tout sauf de la lenteur », aimait-il répéter en citant Vialatte.

La direction du journal ne tarda pas pourtant à trouver son propos trop local, ses digressions confuses et son humour extrêmement bizarre. Surtout cette histoire de scapulaires. Non, cela ne pouvait plus durer. Son contrat ne fut pas renouvelé.

Julien n'en ressentit aucune amertume. Dans

une cuve d'inox lisse et ronde comme le ventre de sa jeune compagne, il fabriquait désormais des bières savoureuses, pleines et longues en bouche.

Qu'il buvait seul en regardant la rivière.

18

Des jours plus tard

Il avait posé son coude sur la table de la cuisine, sa tête reposait dans sa main gauche, le battement de ses tempes résonnait dans sa paume. De sa main libre, il faisait distraitement tourner un petite cuillère à café dans une tasse remplie à ras bord d'un thé odorant. Le frigo ronronnait, le chat aussi. Le robinet ne gouttait pas.

Gabriel en apprenait, des choses, sur Montréal : la ville a été fondée par le sieur de Maisonneuve en 1642, la tour inclinée à quarante-cinq degrés du Stade olympique mesure 175 mètres de hauteur; inaugurée en 1959, la voie maritime du Saint-Laurent s'étend jusqu'au lac Ontario et est constituée de quinze écluses géantes; au sommet du pont Jacques-Cartier trônent quatre répliques de la tour Eiffel.

Gabriel griffonna sur un bout de papier :

Eiffel-cul

Eiffel-Q

FLQ

Les étagères ployaient sous le poids des livres. Mais Gabriel ne lisait et relisait que ce guide touristique trouvé dans les chiottes.

Les journées étaient longues.

Le Poulpe était coincé.

Comme un rat.

Le mystérieux tueur, «un ressortissant français, un Français, un habitant de la France quoi», expliquait à la télé le présentateur bègue, était recherché par toutes les polices d'Amérique du Nord. On en savait un peu plus sur les circonstances de la mort de Laventure. L'enquête confirmait que l'homme d'affaires avait été abattu par son propre garde du corps. Les analyses balistiques et le témoignage d'un témoin, une jeune femme présente sur les lieux du crime au moment du drame, le confirmaient. Ceci cependant n'expliquait pas cela. Ni tout le reste. Mais bon.

Gabriel buvait de l'eau Bénite, une blonde façon abbaye belge à double fermentation, soyeuse, épicée et fruitée. Une petite merveille. Pour ne pas gâcher son plaisir, il avait pris le soin d'arracher l'étiquette sur laquelle figurait un démon blond et cornu, torse nu, musclé et tatoué, portant des ailes d'ange postiches et baignant, l'auréole tordue, dans un bénitier rempli de mousse.

Gabriel soupira. Encore.

Mélanie s'attardait à Shawinigan.

Antoine refaisait le monde quelque part.

L'appartement était vide.

Le Poulpe se gratta les couilles, appuya mollement sur le bouton de la télécommande et la laissa choir sur le canapé avec cette désinvolture blasée qui donnait toujours des idées à Cheryl.

Cheryl.

– Je me charge de t'exfiltrer, dit au bout du fil Edouard Duval-Hérault.

– Quoi ?

– Je n'y peux rien : c'est le nom que nous donnons, nous, dans notre jargon d'hommes de l'ombre, à ce type d'opération.

– Comme tu veux, Edouard, mais je t'en prie sors-moi d'ici et vite.

Duval-Hérault avait repris du service. A force de jouer les dandys misanthropes, reclus dans son vaste appartement de la rue Saint-Jacques, il en était venu à ne plus se supporter lui-même. Alors, il avait rappelé sa femme de ménage, fait sa toilette, enfilé son complet de lin et repris le chemin du bureau, après un petit détour par sa chambre de bonne. L'absence de Gabriel ne l'avait pas étonné.

– C'est un choix militant. On ne peut pas laisser le Quai d'Orsay aux mains de ces incapables. Je pénètre le système pour mieux le changer.

– Non, Edouard, pas ça. Pas à moi.

Edouard n'eut pas à intervenir. L'émoi provoqué par la « fusillade de la Coupe Stanley » retomba de lui-même au bout de deux semaines : il se passait des choses plus graves. Un spécialiste du tourisme venait de déclarer que le Québec, à force de vouloir faire du volume, risquait de devenir une « destination bas de gamme ». Le malheureux fut brûlé en effigie dans le Vieux Québec par des manifestants qui scandaient « On n'est pas des bas-de-gamme ! On n'est pas des bas-de-gamme ! ». « C'est une insulte faite aux visiteurs français et aux salariés de l'industrie touristique québécoise », déclara même le gouvernement dans un communiqué officiel.

– Et s'il avait confessé qu'il ne pouvait pas saquer Céline Dion, on lui aurait fait quoi ? demanda le Poulpe en se souvenant de l'avertissement d'Elisabeth.

– Je ne sais pas. Personne n'a jamais osé le faire. J'imagine qu'il aurait été jugé par un tribunal d'exception pour haute trahison, il aurait été contraint de faire son autocritique à la télévision avant d'être écartelé en direct, répondit plus tard Antoine en rigolant. Mais que veux-tu? On est comme ça. A force d'avoir des démangeaisons nationalistes, on a fini par avoir l'épiderme sensible. Ça nous fait perdre le sens de la mesure de temps en temps. Mais ça peut aussi être une qualité : on aime sans compter!

Gabriel, quoi qu'il en fût, profita de ce cette terrible affaire pour se barrer à New York. Rentrer à Paris fut ensuite un jeu d'enfant. Le débat autour des activités des petits copains de Laventure reprit de plus belle quelques jours plus tard. A la Chambre des communes d'Ottawa, l'opposition réclama la levée du «secret défense» sur les agissements de la gendarmerie royale du Canada pendant la Crise d'octobre.

Mais cela ne regardait plus le Poulpe.

19

Des semaines plus tard

Paris. Temps pourri pour changer. Cette fois, c'est Gérard qui est de mauvais poil. Avec ses doigts, le Poulpe essaie de choper celui – blond – qu'il a sur la langue. Handicapé par une céphalée post-coïtale bénigne, il y parvient difficilement. Les retrouvailles avec Cheryl ont été enthousiastes. Les kangourous en peluche qui peuplent son grand lit rose en sont encore tout retournés, ils vont se tripoter pendant des semaines, les petits vicieux, en se repassant la bande. Comment il dit, déjà, Richard Desjardins ? Changer l'amour bandé pour de la tendresse ?

Jamais.

– Au fait, qui c'est cette tante que tu es allée voir dans le Nord.

– Une tante, quelle tante ?

Le Poulpe boit son café. Gérard râle. Il faut dire que Gabriel l'a vachement allumé, le sexagénaire. Le champion toutes catégories du pied de porc à la Sainte-Connerie s'est mis dans la tête de rebaptiser son bistrot le PDP. Pour faire « tendance ». Un client créatif lui a soufflé le concept à l'oreille, à l'œil, avec l'intention de lui vendre une nouvelle signature visuelle ; sur le logo, un cybercochon stylisé exhibe ses jarrets dans un french cancan halluciné.

Le Poulpe a traité Gérard de G-C-D-M-D. Il est tout vexé, pauvre petit bonhomme. Alors il change de sujet, dans l'espoir d'avoir le dernier mot.

– *Le Parisien* parle encore du Québec ce matin. C'est comme ça depuis une dizaine de jours. T'as vu ? Ils se la jouent Règlement de comptes à Hockey Corral ! L'affaire risque même de faire tomber le gouvernement canadien. Quand on pense qu'elle a commencé par un simple meurtre. Un gros type tué en pleine rue. Ça ne te dit rien, tout ça, par hasard, mon petit Poulpe ?

– Qui ça, moi ?

– C'est vrai, qu'est-ce que je suis con ! Pourquoi je te demande ça ? Tu étais en vacances dans la Creuse, d'où tu m'as rapporté ce litre de sirop d'érable. Pour le reste, tu ne penses rien, t'étais pas là, t'as rien vu. Puis arrête de sourire comme ça ! Enfin merde où tu vas ? Gabriel Lecouvreur, reviens, j'en ai marre de tes cachotteries. Allez ! fais pas chier, j'ai le droit de savoir. Si tu pars maintenant, ce n'est plus la peine de revenir, jamais… tu entends ?

Du trottoir, à travers la vitrine, le Poulpe, en se fendant la tronche, lui fait un tentacule d'honneur.

DÉJÀ PARUS AUX ÉDITIONS BALEINE

Le Poulpe

1. Jean-Bernard Pouy - *La petite écuyère a cafté*
   Prix Paul Féval de littérature populaire 1996
2. Serge Quadruppani - *Saigne sur mer*
4. Patrick Raynal - *Arrêtez le carrelage*
7. Didier Daeninckx - *Nazis dans le métro*
8. Noël Simsolo - *Un travelo nommé désir*
9. Franck Pavloff - *Un trou dans la zone*
11. Paul Vecchiali - *La pieuvre par neuf*
12. Jean-Jacques Reboux - *La cerise sur le gâteux*
13. Claude Mesplède - *Le cantique des cantines*
14. Pascal Dessaint - *Les pis rennais*
15. Olivier Thiébaut - *Les pieds de la dame aux clebs*
16. Gérard Delteil - *Chili incarné*
17. Bertrand Delcour - *Les sectes mercenaires*
18. Roger Martin - *Le G.A.L., l'égout*
19. Jean-Christophe Pinpin - *Les gens bons bâillonnés*
20. Hervé Prudon - *Ouarzazate et mourir*
21. Guillaume Nicloux - *Le saint des seins*
26. Roger Dadoun - *Allah recherche l'autan perdu*
27. Pascale Fonteneau - *Les damnés de l'artère*
28. Sylvie Granotier - *Comme un coq en plâtre*
31. Romain Goupil - *Lundi, c'est sodomie*
32. Olivier Douyère - *Bunker menteur*
34. François Joly - *Chicagone*
35. Michel Chevron - *J'irai faire Kafka sur vos tombes*
37. Mano Gentil - *Boucher double*
39. Mouloud Akkouche - *Causse toujours !*
40. Serge Meynard - *Lapin dixit*
41. Chantal Pelletier - *Lavande tuera*
43. Michel Cardoze - *Du hachis à Parmentier*
44. Jacques Vallet - *L'amour tarde à Dijon*
48. Gérard Lefort - *Vomi soit qui malle y pense*
49. Yannick Bourg - *Les potes de la perception*
50. Aïdé Caillot - *Le Karma saut'ra*

54. Alain Puiseux - *Je repars à Zorro*
55. Alain Bellet - *Danse avec Loulou*
58. Cesare Battisti - *J'aurai ta Pau*
59. Lucio Mad - *Dakar en barre*
60. Stéphanie Benson - *Crève de plaisanterie*
64. Bruce Mayence - *La Belge et la bête*
65. Hervé Mestron - *Eva te faire voir !*
66. Guillaume Darnaud - *Le crépuscule des vieux*
Prix du Zinc 1998

Coffret Un été de Poulpe (trois titres) :
69. Fabienne Tsaï - *Sans foie ni loi*
70. Alain Raybaud - *La lune dans le congélo*
71. Guillaume Chérel - *Tropique du grand cerf*
72. Jacky Pop - *La neige du killerman manchot*
73. Gérard Lecas - *Satanique ta mère !*
74. Evane Hanska - *Le bal des dégoûtantes*
78. Serge Livrozet - *Nice Baie d'aisance*
79. Jean-Luc Poisson - *Le chien des bas serviles*
82. Laurent Fétis - *L'aorte sauvage*
83. Hervé Korian - *Les bêtes du Gévaudan*
84. Woô Manh - *Docteur J'abuse*
87. Jean-Pierre Andrevon - *Papy end*
88. Jacques Albina - *Lazare dîne à Luynes*
89. Hervé Le Tellier - *La disparition de Perek*

Joyeux Gabriel (coffret quatre titres) :
92. Robert Deleuse - *La bête au bois dormant*
93. Christian Congiu - *La Nantes religieuse*
94. Chantal Montellier - *La dingue aux marrons*
95. Pierre-Alain Mesplède - *E pericoloso for Jersey*

Et heureux Poulpe (coffret quatre titres) :
96. Patrick Eris - *Une balle dans l'esthète*
97. Gilles Vidal - *Les deniers du colt*
98. Monique Demerson - *Fugue en Nîmes majeur*
99. Jean-Pierre Huster - *Touchez pas au grizzli*

Cent pour sang bande dessinée (coffret trois titres)

100. Mako - *Le Nord aux dents*
101. Olivier Balez - *L'Opus à l'oreille*
102. Jean-Luc Cochet - *La bande décimée*
103. Jean-Jacques Busino - *Au nom du piètre qui a l'essieu*
104. Paul Milan - *Légitime défonce*
105. Grégoire Carbasse - *L'Helvète underground*
108. Philippe Carrese - *Allons au fond de l'apathie*
109. Michel Boujut - *Les Jarnaqueurs*
110. Catherine Fradier - *Un poison nommé Rwanda*
113. Georges-J. Arnaud - *L'antizyklon des atroces*
114. Serge Turbé - *Ataxie pour Hazebrouck*
115. Grégoire Forbin - *Zombi la mouche*
118. José-Louis Bocquet - *Zarmaggedon*
119. Bellanti & Vacher - *Le manuscrit de la mémère morte*
120. Sylvie Rouch - *Meufs Mimosas*
123. Pierre Filoche - *Éros les tanna tous*
124. Michel Musolino - *Plus dur sera le chiite*
125. Didier Vandemelk - *Le carnaval de Denise*
128. M. Pelé & F. Prilleux - *Kop d'immondes*
129. François Billard - *Don qui shoote et la manque*
130. J.-P. Deleixhe, G. Delhasse & C. Libens - *Du pont liégeois*
133. Jacques Vettier - *La petite marchande de doses*
134. Alain Leygonie - *Mali mélo*
135. Danièle Rousselier - *Tananarive qu'aux autres*
136. Philippe Delepierre - *L'Aztèque du charro laid*
137. Pierre Fossard - *Veine haineuse*
138. Albédo - *Les pourritures célestes*
139. Lionel Besnier - *Macadam cobaye*
144. Andreu Martín - *Vainqueurs et cons vaincus*
145. G. Nicloux, J.-B. Pouy, P. Raynal - *Le Poulpe, le film*
147. Nila Kazar - *Madame est Serbie*
148. Pierre Fort - *Le mec à l'eau de la Générale*

149. Stéphane Geffray - *Les Teutons flingueurs*
152. Alain Aucouturier - *L'arthritique de la raison dure*
154. Thierry Reboud - *Un nain seul n'a pas de proches*
155. Cyril Berneron - *La pensée inique*
159. Pierre Kolaire - *Sur la ligne Marginaux*
160. Dominique Renaud - *Feinte alliance*
163. Cyprien Luraghi - *Pour cigogne le glas*
164. Christian Rauth - *La Brie ne fait pas le moine*
167. David Downie - *La tour de l'immonde*
168. Marcus Malte - *Le vrai con maltais*
170. Yan Molin - *L'évincé au fond du pouvoir*
171. Claude Ardid - *Belles et putes*
173. Franck Resplandy - *Lisier dans les yeux*
174. Pierre Barachant - *Quand les poulpes auront des dents*
177. Cédric Suillot - *Goulasch-moi les baskets !*
178. Sophie Loubière - *La petite fille aux oubliettes*
181. Adna H - *L'agneau pas squale*
182. Orange amère - *L'ordure, hein !*
185. Didier Daeninckx - *Ethique en toc*
187. Francis Pornon - *Saône interdite*
189. Jean-Marc Ligny - *Le cinquième est dément*
190. Stéphane Koechlin - *Jeux de Roumains, jeux de vilains*
192. Michel Dolbec - *Palet dégueulasse*
193. Michel Abax - *Un pastis à la soviet*

À PARAÎTRE

Le Poulpe
196. Alain Wagneur - *Drôle de drums*
197. Patrick Mercado - *Des gourous et des douleurs*

Instantanés de Polar
198. Laurent Beauvois - *Le chien d'en face*

Velours
12. Olivia Regard - *Victoria*

Série Grise
3. Mouloud Akkouche - *Sur la route de Bauliac*

Réalisation : PAO Éditions Baleine

Cet ouvrage a été imprimé
sur presse Cameron
par Bussière Camedan Imprimeries
à Saint-Amand-Montrond (Cher)
en mars 2000

- N° d'édition : 39846. - N° d'impression : 001314/1.
Dépôt légal : avril 2000.

Imprimé en France